Meu amigo Sérgio Queiroz impactou meu [...]so. Com sabedoria, praticidade e honestida[...] lutas, ele analisa princípios poderosos de tra[...] duzem à vitória pessoal, familiar e profissi[...] lido por todas as pessoas.

Ebenézer Bittencourt
Diretor Executivo do Instituto Haggai

Gloriosas ruínas é uma leitura indispensável para todo cristão consciente da necessidade de enfrentar os dilemas do presente e sua vinculação direta com a implantação do reino de Deus, sem, entretanto, perder de vista a esperança que se assenta na manifestação do caráter santo e justo do Cordeiro de Deus, Senhor da História.

Edson Barbosa
Líder do Ministério Renovo

Há poucos homens que amo e respeito tanto quanto Sérgio. Agora você pode aprender com ele, assim como eu aprendo. Este livro é leitura obrigatória.

Ed Stetzer
Presidente da LifeWay Research,
escritor e conferencista internacional

Não há necessidade maior em nossos dias do que a da restauração do evangelho. Ao longo deste livro importante, Sérgio Queiroz planta as sementes da restauração do evangelho de tal forma que somos encorajados, edificados e desafiados. E como isso é necessário no mundo do evangelicalismo, que frequentemente não entende o papel do sofrimento na vida cristã! Recomendo!

Jay Bauman
Diretor do Atos 29 América Latina
Fundador do Restore Brazil

Gloriosas ruínas, longe de ser uma obra elaborada por um escritor distante da realidade do que trata, surge e se desenvolve a partir do próprio envolvimento pessoal do autor com a tarefa da restauração de vidas, relacionamentos e histórias. Por isso, certamente, este livro fará grande diferença, tanto para aqueles que atuam como agentes de restauração quanto para aqueles que anseiam por reconstrução em sua jornada pessoal.

Ricardo Agreste
Pastor e Diretor do CTPI

SÉRGIO QUEIROZ

GLORIOSAS RUÍNAS

O CAMINHO BÍBLICO
PARA A RESTAURAÇÃO

mundo**cristão**
São Paulo

Copyright © 2015 por Sérgio Queiroz
Publicado por Editora Mundo Cristão

Os textos das referências bíblicas foram extraídos da *Nova Versão Internacional* (NVI), da Biblica Inc., salvo indicação específica. Eventuais destaques nos textos bíblicos e citações em geral referem-se a grifos do autor.

Todos os direitos reservados e protegidos pela Lei 9.610, de 19/02/1998.

É expressamente proibida a reprodução total ou parcial deste livro, por quaisquer meios (eletrônicos, mecânicos, fotográficos, gravação e outros), sem prévia autorização, por escrito, da editora.

CIP-Brasil. Catalogação na Publicação
Sindicato Nacional dos Editores de Livros, RJ

Q47g

    Queiroz, Sérgio
    Gloriosas ruínas: o caminho bíblico para a restauração / Sérgio Queiroz. — 1. ed. — São Paulo: Mundo Cristão, 2015.

    1. Vida cristã. 2. Mudança (Psicologia) — Aspectos religiosos. 3. Crescimento espiritual. I. Título.

15-26251

CDD: 248.4
CDU: 27-584

Categoria: Inspiração

Publicado no Brasil com todos os direitos reservados por:
Editora Mundo Cristão
Rua Antônio Carlos Tacconi, 79, São Paulo, SP, Brasil, CEP 04810-020
Telefone: (11) 2127-4147
www.mundocristao.com.br

1ª edição: novembro de 2015

Para Samara, minha eterna namorada e principal
parceira na luta por um mundo melhor.
Nossa jornada está apenas começando.

SUMÁRIO

Agradecimentos	9
Prefácio	11
Introdução	15
1. Princípio da realidade	27
2. Princípio da inquietação	35
3. Princípio da confissão	41
4. Princípio da paciência	49
5. Princípio da transparência	55
6. Princípio do planejamento	61
7. Princípio da integridade	67
8. Princípio da guerra	73
9. Princípio da inspeção detalhada	79
10. Princípio da visão motivada	85
11. Princípio da fé inabalável	91
12. Princípio da solidariedade	97
13. Princípio da resistência	105
14. Princípio da oração	113

8 Gloriosas ruínas

15. Princípio da persistência 121
16. Princípio do trabalho duro 129
17. Princípio da comunhão 135
18. Princípio do amor 141
19. Princípio da renúncia 149
20. Princípio da soberania divina 157
21. Princípio da celebração 163

Conclusão 169

Sobre o autor 175

AGRADECIMENTOS

Sou muito grato a Deus pelas pessoas que ele tem posto em minha vida. Antes de mais nada, louvo a ele pela vida dos meus amados pais, Milton e Sheyla, que sempre apoiaram os projetos de restauração nos quais eu tenho me envolvido.

Além disso, sinto-me privilegiado por ter ao meu lado uma esposa sábia, que tem uma participação fundamental em todas as áreas da minha vida, além de ser uma admirável "restauradora de muros". Amo você, Samara Queiroz.

Agradeço também aos meus filhos, Sérgio Augusto, Esther e Débora, por tornarem minha vida mais doce e feliz. Papai ama vocês e fará de tudo para que continuem sendo servos fiéis do Grande Restaurador.

Finalmente, sou grato a toda a minha família, assim como aos líderes e aos voluntários da Cidade Viva, que têm sido usados como instrumentos de Deus para a construção de um mundo melhor. Vocês me inspiram a continuar a jornada.

PREFÁCIO

Se você quer pôr abaixo seus conceitos para reconstruí-los melhor, ou se está em ruínas por qualquer motivo e quiser achar a glória da reconstrução, não pode deixar de conhecer Sérgio Queiroz e de ler com dedicação o livro que tem em mãos. Esta obra permite a qualquer pessoa aproveitar a inteligência, a alma, a bondade e a competência do autor. Ao fazer isso, você descobrirá como reconstruir algo que tenha sido perdido, ou como construir um belo castelo onde tenha achado que nada pudesse existir.

É curioso para mim falar sobre ruínas. E gloriosas. No dia em que conheci Sérgio Queiroz, em uma aula sobre liderança, o ouvi por quatro horas. Quando me dei conta, estava em lágrimas. Posso dizer, sem medo de estar exagerando, que terminei a aula em ruínas. E gloriosas. Chorei bicas, baldes, praticamente desidratei. E, em alguém de pele bem branca como a minha, o choro em larga escala faz um estrago: fico todo vermelho. Ruínas, acredite.

Poucas vezes alguém conseguiu mexer tanto comigo. O choro foi de ver que meu cristianismo era uma ruína, mas que sobre ela o evangelho podia construir algo glorioso. Foi um choro de vergonha e de alívio, de culpa e de redenção, de tristeza e de alegria.

Em geral, as pessoas que emocionam andam em frequências tão singelas que não conseguem ser práticas e realizadoras. Por outro lado, os grandes realizadores são, geralmente, um tanto (ou bastante, em alguns casos) impermeáveis ao sentimento. Não é comum que a sensibilidade e a força andem juntas numa só pessoa. Mas essa é uma característica de Sérgio. Cada vez que alguém menciona espanto pela minha capacidade de trabalho e multiplicidade, costumo replicar: "Você ainda não conhece o Sérgio Queiroz". Ele é, em tudo, um homem fora de série: realizador, sensível, cristão, prático, visionário, um sonhador da melhor cepa, um construtor da melhor estirpe.

A rotina de viagens me leva aos mais variados recantos. Como frequento desde menino os cultos dominicais, sempre que estou fora de minha cidade indago sobre alguma igreja que esteja fazendo diferença no lugar onde está. Esse hábito me levou a visitar a Cidade Viva. Saí de lá impressionado. Tempos depois vim a saber que Sérgio era o arquiteto e um dos pedreiros dessa cidade; uma cidade viva e que produz vida. Uma cidade que se especializou em reconstruir ruínas de todo tipo de gente, de homens de negócios que se acham o centro do mundo a prostitutas e viciados em drogas.

Esse Sérgio, que, aos poucos, vim a conhecer melhor, chega a me impressionar, por fazer bem tantas coisas, como engenheiro, jurista, pastor exemplar ou ativista. Isso, ao mesmo tempo que faz mestrado, doutorado e que recebe reconhecimento nacional e internacional por suas realizações. E que, agora, para alegria geral, escreve um livro belíssimo e necessário.

Entre tudo o que faz dele uma pessoa admirável está o fato de ser um homem inteligente que não perdeu a conexão com as demais pessoas, um marido amoroso e um pai dedicado, um homem respeitável, um profissional de elite e um servo de Deus. Se quiser conhecer mais sobre ele e suas realizações, recomendo que pesquise sobre a Cidade Viva: <http://cidadeviva.org/conheca/>. Você descobrirá um nordestino forte, que interfere na realidade a ponto de deixá-la muito mais bonita.

A leitura deste livro confirma, primeiro, a naturalidade da comunicação de Sérgio e seu talento no uso da palavra. Há muito tempo eu insistia com ele que somasse aos seus inúmeros afazeres a criação de livros, uma forma de compartilhar com mais pessoas tudo o que tem para contribuir. *Gloriosas ruínas* é a concretização desse sonho (tanto dele quanto meu) de vir a lume, em forma de livro, um pouco daquilo que ele tem a dizer.

Se você tem uma ou mais ruínas a enfrentar, ou se conhece alguém que vive esse problema, a obra de Sérgio Queiroz será categórica e se encaixará como uma luva. Não existem fórmulas prontas para tudo, nem receitas ou protocolos que antecipem a integralidade do futuro. Por isso, assimilar e compreender princípios é a melhor forma de enfrentar o cotidiano. E este livro ensina importantes princípios, identificados de forma brilhante. Aliás, brilhante é a forma natural de se perceber tudo o que Sérgio faz.

Ao longo da obra, o autor nos convida a refletir sobre nossas ruínas e nos ajuda a traçar um plano de ação sustentado em lições extraídas da vida de Neemias. Sérgio Queiroz não deixa de abordar nenhum item, não deixa nenhuma brecha para que você alcance a superação pessoal. Ele reforça a fé do leitor e ajuda a retomar a esperança. Este livro é um convite à compreensão pessoal e à devoção, a despeito do tamanho da sua ruína, dos erros que cometeu e das barreiras que ainda tem a superar. A obra reforça esta compreensão: Deus estará sempre ao seu lado para reconstruir — e sua mão gentil e poderosa é capaz de operar todos os tipos de milagre.

Conhecer Sérgio me fez querer ser um marido, um cristão e um profissional melhor. Ler *Gloriosas ruínas* me fez revisitar o melhor que já aproveitei da convivência com o autor e me perceber mais bem preparado para os dias que virão. O livro ajuda a fazer as difíceis escolhas, a repensar atitudes e, por que não, a se alegrar com tudo o que já foi conquistado até agora. Ou, em outras palavras, a comemorar quanto nossas ruínas já foram impactadas pela ação de Deus.

Recomendo a leitura para todas as pessoas. Não importa em que momento você esteja, quais obstáculos precise superar, quais decisões tenha de tomar, quais atitudes devem mudar, se você está afastado de sua fé e de Deus. Qualquer que seja o caso, este guia irá ajudá-lo a compreender o cenário, a traçar um plano de ação e a concretizá-lo com sucesso. Trata-se de uma ferramenta de transformação. Leitura diária de legado permanente. Um livro glorioso, eis o que você tem em mãos.

WILLIAM DOUGLAS
Escritor, conferencista, professor e juiz federal

INTRODUÇÃO

Algumas pessoas que marcaram a história da humanidade enchem o meu coração de espanto e esperança, por terem desenvolvido uma incrível capacidade de olhar para as ruínas da vida com um olhar diferenciado. São homens e mulheres como nós, que conseguiram encarar aspectos dolorosos da realidade humana não como um ponto final para seus objetivos, mas como uma oportunidade de reconstruir-se e restaurar o mundo ao seu redor. Dentre essas histórias encantadoras, destaco três que considero exemplares: uma de restauração pessoal, outra de restauração relacional e a terceira de restauração da sociedade.

Eu estava navegando na Internet quando deparei com uma foto famosa, tirada em 1972, por um fotógrafo da agência *Associated Press*. Ela sintetiza em uma imagem os horrores da Guerra do Vietnã: em preto e branco, vemos a fuga de algumas crianças após os americanos terem usado como arma de ataque o *napalm*, conjunto de líquidos inflamáveis à base de gasolina gelificada, de efeito devastador. Entre as crianças fotografadas, destaca-se uma menina de 9 anos, chamada Kim Phuc. Em prantos, nua e com os braços abertos, ela tentava fugir dos ataques militares, mas já carregava na metade de seu corpo as dolorosas queimaduras causadas pela arma química lançada momentos antes em seu vilarejo, próximo à cidade de Saigon. A foto é um triste símbolo da tragédia que foi essa terrível guerra, que ceifou a vida de mais de um milhão de pessoas.

Fiquei pensando por onde andaria a menina da foto, que, com a ajuda do próprio fotógrafo, foi levada a um hospital, sem esperança de sobreviver, e teve de passar catorze meses sendo tratada de suas queimaduras de terceiro grau. Comecei a me questionar se suas ruínas pessoais teriam levado aquela pequena vietnamita a uma postura de prostração diante da vida ou se, pelo contrário, teriam se tornado gloriosas oportunidades nas mãos de Deus para transformar Kim em um símbolo de superação, amor e perdão.

Decidi pesquisar sobre aquela criança. Depois de algum tempo na Internet, encontrei o *website* da Kim Foundation (www.kimfoundation.com), onde consta a sua história de restauração, assim como informações sobre a organização que ela mesma fundou para dar assistência a crianças que sofreram danos físicos e emocionais decorrentes de guerras. Hoje, já uma senhora, Kim afirma que, após anos de sofrimento e dor, conseguiu alcançar liberdade e felicidade, perdoando todos os que a fizeram passar por tão grandes ruínas. No *website* da Kim Foundation constam muitos testemunhos de pessoas que foram impactadas pela vida dessa grande guerreira. Um deles me chamou a atenção: o de Richard Orviss, da empresa SB&C Financial Growth Associates, localizada no Canadá, país onde Kim vive atualmente com a família. Ele explica o que sentiu após uma palestra de Kim Phuc:

Fiquei maravilhado com a atitude dela. Estou certo de que nunca conheci alguém que tenha passado por tão grande trauma durante a infância e tenha conseguido superá-lo de maneira tão positiva e perdoadora. A sua palavra assegurou-me da força que todos nós possuímos. E quando nós juntamos essa força com o poder do amor e do perdão, milagres podem acontecer.[1]

A pequena vietnamita tornou-se a personagem principal de uma das mais belas histórias de restauração pessoal já conhecidas. De fato, Kim Phuc cultivou planos de restauração que as chamas de cerca de oitocentos graus Celsius produzidas pela combustão do *napalm* não foram capazes de queimar e destruir.

Outra história inspiradora é a do advogado, escritor e apresentador de rádio Larry Elder. Em 2012, esse americano escreveu um livro sobre a restauração do seu relacionamento com o próprio pai. Em *Dear Father, Dear Son: Two Lives... Eight Hours* [Querido pai, querido filho: duas vidas... oito horas], Elder conta detalhes dessa relação conturbada. Em um dos trechos da obra, ele afirma que odiava profundamente o pai. Achava-o frio e de temperamento adoecido. Tremia de medo pelo simples fato de vê-lo chegar em casa, e vivia dizendo a si mesmo que um dia encontraria coragem para enfrentá-lo face a face, o que realmente veio a fazer quando completou 15 anos. O resultado ruinoso desse confronto foram dez anos sem ter nenhuma conversa significativa com o pai.

Aos 25 anos, Larry começou a ter problemas de sono, além de dificuldades para comer e sentir-se em paz. Foi quando um dos seus amigos lhe disse que todas essas questões

---

[1] Disponível em: <http://www.kimfoundation.com/modules/contentpage/index.php?file=story.htm>. Acesso em: 30 de jul. de 2015.

emocionais poderiam estar ligadas a problemas não resolvidos do passado. Após uma autoanálise, ele resolveu procurar o pai para conversar sobre o relacionamento deles. Esperava ter uma conversa de apenas dez ou vinte minutos, na qual supunha que ouviria grosserias da parte do pai, mas Larry ficou surpreso com o homem que encontrou. Ao contrário da leitura rude que sempre fizera sobre ele, típica de um adolescente inseguro, o que viu foi uma pessoa amável que carregava no coração uma dura e encantadora história de vida. Durante a franca conversa, que durou oito horas, pai e filho se reencontraram no olhar e nas dores um do outro e pavimentaram um lindo caminho para a restauração. Hoje, Larry é um dos grandes promotores da reconciliação entre filhos e pais, prova de que é possível a restauração de ruínas relacionais com base no amor, na compreensão e na honra dos filhos para com os pais.

O terceiro exemplo que eu gostaria de mencionar é o do reverendo e ativista Martin Luther King Jr. Em 2008, eu e minha esposa, Samara, decolamos de João Pessoa em direção a Chicago (EUA) para realizar um sonho de quase dez anos: iniciar o curso de doutorado em ministério pastoral na conceituada instituição cristã de ensino Trinity Evangelical Divinity School. Chegamos a Chicago, nos instalamos e logo iniciei o programa, no qual desejava elaborar uma tese sobre a saúde da igreja brasileira, com base na sua capacidade de restauração integral. O que eu não sabia era que, em breve, os Estados Unidos testemunhariam mais uma colheita dos sonhos de restauração social cultivados no coração de Martin Luther King Jr. Alheios aos acontecimentos do país em que estávamos, minha esposa e eu saímos com um casal de amigos na noite seguinte para jantar. Após uma noite bem agradável, voltamos ao hotel com uma interrogação: Por que o restaurante estava tão vazio e os subúrbios de Chicago estavam tão calmos e com tão poucos carros nas ruas?

Já no quarto do hotel, liguei a televisão. Foi quando me dei conta de que, a alguns quilômetros de onde estávamos, no Grant Park de Chicago, mais de duzentas mil pessoas estavam reunidas para celebrar o resultado das eleições presidenciais americanas, que consagraram Barack Obama como o primeiro presidente negro da nação. Em um discurso muito bem articulado, Obama usou expressões do ativista social Martin Luther King Jr., pastor batista e líder negro que dedicou boa parte da vida para ver implantada a igualdade de direitos civis entre brancos e negros e para promover a restauração das relações inter-raciais nos Estados Unidos. Mediante a adoção da ética cristã e das palavras de Jesus, Luther King deixou um grande legado e plantou sementes importantes para a restauração social do seu país.

E ali estávamos nós, eu e Samara, deitados naquela cama de hotel, assistindo pela televisão a um evento significativo da história da humanidade. Mesmo que minhas tendências sejam mais republicanas, confesso que chorei quando ouvi o discurso do democrata Barack Obama pela televisão, por perceber que sonhos de restauração social, quando cultivados de maneira perseverante e corajosa, podem render grandes frutos. Ao final daquele discurso de vitória, percebi que Obama, como primeiro presidente negro dos Estados Unidos, foi, sem dúvida, um dos que, junto com o seu povo, colheram com alegria os frutos que nasceram das insistentes lágrimas ideológicas de Martin Luther King.

Três exemplos, um mesmo princípio: a luta para construir algo belo, novo e glorioso a partir de ruínas. Kim Phuc, Larry Elder e Martin Luther King Jr. são apenas três pessoas que mostraram que é possível. Falar sobre restauração é cultivar a esperança de dias melhores para pessoas, seus relacionamentos e as sociedades formadas por elas. É permitir-se sonhar com a implantação de ideais de justiça, verdade, fraternidade, amor, perdão e·reconciliação. Esse é o objetivo deste livro.

Fico muito impressionado com o exemplo de algumas nações, que viveram tragédias enormes e conseguiram demonstrar enorme resiliência. Os povos que construíram essas nações e as viram ser assoladas por catástrofes demonstraram enorme capacidade de absorver tragédias e reconstruir-se sobre elas. Tenho admiração especial pelo povo japonês, que, após sofrer o impacto físico e emocional da devastação provocada por duas bombas atômicas e inúmeros ataques aéreos durante a Segunda Guerra Mundial, viu sua nação ser arrasada e reduzida a escombros. No entanto, conseguiu reerguer-se das cinzas e tornar-se uma potência do quilate que o Japão é hoje, em um período de tempo relativamente curto em termos históricos. É incrível essa capacidade de restauração do povo japonês.

Do mesmo modo, a despeito do mérito da guerra, a Alemanha — conduzida por Adolf Hitler a uma situação de miséria econômica e de devastação social — conseguiu superar de forma admirável a deterioração do país no pós-guerra. E, poucas décadas depois, teve a capacidade de se reerguer após a divisão nos tempos da Guerra Fria, vencendo lutas internas pela queda do Muro de Berlim.

Assim como Japão e Alemanha, há muitos exemplos ao longo da história das civilizações. Fico pensando o que se passava nos pensamentos de Martin Luther King quando deu início à sua cruzada em prol da igualdade de direitos civis nos Estados Unidos. Ele, de início, era um pastor batista como tantos outros, que cuidava do rebanho da igreja local e ministrava em um púlpito. De repente, começou a perceber o estado das coisas e a ver que não era admissível que alguém pudesse se julgar superior ao outro em razão da raça. Assim, King começou a lutar em favor da igualdade de direitos civis, o que lhe custou muito caro. Penso, ainda, no exemplo de homens como Gandhi, que, ao ver a dominação inglesa cristã sobre a Índia, conseguiu chamar a atenção do mundo pacificamente e restaurar o seu país, devolvendo a esperança ao seu povo. Ou, ainda, Nelson Mandela, símbolo na África do Sul da luta contra o regime do *apartheid*. Pessoas como eles simplesmente olharam quadros da existência, acreditaram que as ruínas que enxergaram não eram mais significativas do que o sonho de vê-las reconstruídas e deram o primeiro passo rumo à restauração.

Assim é, também, em nossa vida. Como seres humanos em constante processo de desgaste, temos um componente físico sujeito a doenças, e um componente espiritual sujeito a enfermidades emocionais. Precisamos lutar a cada dia para ver nosso corpo restaurado, para viver melhor, sem nos entregarmos; e para ver nossa alma sarada das doenças emocionais que nos atacam. Quando isso ocorre, a alma fica em ruínas, em frangalhos. As razões podem ser as mais variadas, como experiências negativas, problemas ou decepções. Muitas pessoas já tiveram a oportunidade de ter uma vida de plenitude com Deus, de oração, busca e serviço, mas hoje estão em ruínas. Outras sonharam um dia com uma família feliz e digna, que viesse trazer crescimento e esperança, mas hoje veem ruínas dentro da própria casa. E as situações passíveis de destruição não param: vemos dramas e interferências nos relacionamentos, nas estruturas sociais e em outros âmbitos da existência humana.

Nessas horas, precisamos lembrar que o Senhor é Deus de reconstrução e graça. A Bíblia nos mostra que ele está em movimento com um plano de redenção para a humanidade, que aponta para a esperança de um novo céu, mas, ao mesmo tempo, de uma nova terra, onde a justiça e a paz, enfim, se manifestarão plenamente.

Assim como na história recente encontramos exemplos como os de Kim Phuc, Larry Elder e Martin Luther King Jr., a Bíblia relata a saga de autênticos heróis da restauração. Um exemplo é o do judeu Neemias, que tornou-se homem de confiança do rei da Pérsia no tempo em que a sua nação e o seu povo viviam na mais completa desolação e ruína. Depois que o reino de Judá foi assolado e levado ao cativeiro por Nabucodonosor, rei da Babilônia, Neemias foi impelido por um grande e divino desejo de restaurar seu povo e sua terra — em especial, a cidade de Jerusalém, que se encontrava destruída e arruinada. Ele deu início, então, à árdua tarefa de reconstruir os muros da cidade e recuperar a honra do seu povo. Foram tempos difíceis e desafiadores, mas Neemias foi bem-sucedido.

Muitas vezes percorro as páginas do livro de Neemias e lá encontro forças para encarar minhas lutas, consolo para lidar com meus sofrimentos e fé para não desistir no meio do caminho. É lindo ver como Deus está presente em cada momento e usa gente simples para realizar feitos notáveis. Como fruto de anos de estudo, meditação e ensino das palavras contidas nesse livro milenar, resolvi escrever sobre 21 princípios de restauração que encontrei na história de Neemias, homem comum que resolveu mudar a história de todo um povo. Meu objetivo é que você olhe para si mesmo, para os seus relacionamentos e para o mundo em que vive com um olhar diferente, cheio de possibilidades e transbordante de esperança. Desejo que a leitura o ajude a sair da prostração produzida pelas ruínas da existência para lutar com disposição e ânimo redobrados, a fim de ver os planos de Deus se cumprirem em sua vida.

A vida de Neemias é muito inspiradora quando pensamos sobre o poder de homens e mulheres conduzidos por Deus rumo à reconstrução de ruínas. A partir da experiência e do exemplo desse líder judeu, podemos traçar caminhos para nós mesmos. Mas, para começarmos a analisar os princípios envolvidos na vida de Neemias, antes precisamos compreender o contexto histórico em que ele viveu e o que ocorreu com o povo de Israel nos anos anteriores ao que é descrito no seu livro.

Tudo começa séculos antes do início da história relatada por Neemias. Deus escolheu o povo de Israel para expressar o seu amor pela humanidade. O Senhor não elegeu os judeus porque fossem mais bonitos, santos, importantes ou especiais que os demais povos. Eles eram simplesmente um povo que Deus escolheu para expressar sua glória na face da terra. Para que isso ocorresse, Deus deu a Israel uma terra, Canaã, que proporcionaria a eles condições de sustento e felicidade. Dentro de seu plano, o Senhor libertou o povo hebreu do Egito, depois de quatrocentos anos de escravidão, o levou para o deserto e lhe entregou a sua lei. Mas os israelitas sempre foram teimosos, especialmente quando o assunto era adoração. Com frequência espantosa, eles deixavam de adorar o Deus da vida e começavam a adorar ídolos e falsas divindades criadas pelos povos vizinhos, o que os conduzia a atos abomináveis aos olhos divinos.

Por amor e esse povo, Deus sempre enviava profetas para alertá-lo: "Não façam isso com vocês, não corrompam a minha aliança com vocês. Purifiquem-se!". Durante muito

24   Gloriosas ruínas

tempo, o Senhor mandou muitos profetas para chamar o povo ao arrependimento e ao abandono do pecado, mas, frequentemente, seus apelos foram ignorados. Por fim, a nação se dividiu em dois reinos: o do Norte, Israel, cuja capital era Samaria; e o do Sul, Judá, cuja capital era Jerusalém. Israel foi conquistado pela Assíria, e Judá enfrentou, em 586 a.C., ataques devastadores do rei Nabucodonosor, monarca do Império Babilônico, que tomou Judá, invadiu o país e o conquistou de forma arrasadora. Jerusalém foi destruída, o que incluiu a devastação do templo e das muralhas. A cidade ficou irreconhecível, em ruínas. E, mais que isso, Nabucodonosor mandou que as pessoas mais capacitadas de Judá fossem levadas como escravas para seu país. É nessa invasão, por exemplo, que é levado cativo o profeta Daniel.

Começou, então, um ciclo de depuração. O Senhor iniciou um processo de purificação na vida daquelas pessoas, por meio do sofrimento e da percepção da devastação que o distanciamento de Deus provocou. Foi quando o Império Persa invadiu e subjugou a Babilônia, tornando-se a nova superpotência. Com o tempo, a política persa reconfigurou o destino do povo de Israel e o imperador Ciro assinou um decreto que permitia aos judeus voltar à sua terra.

O retorno ocorreu em etapas, assim como a construção física, espiritual e emocional dos israelitas. Um primeiro grupo partiu para Jerusalém com o objetivo de reconstruir o templo, sob a liderança de um líder chamado Zorobabel. Depois, o culto a Deus foi restaurado, por meio do escriba Esdras. Mas ainda faltava algo para que a cidade fosse plenamente reconstruída, algo de extrema importância: os muros da cidade, que se encontravam derrubados, com os portões queimados. Jerusalém achava-se indefesa. Uma cidade sem muralhas na antiguidade não era uma cidade; era um lugar completamente desprovido de segurança não só contra exércitos, mas contra as feras do campo. As cidades fortificadas davam segurança para as mulheres e crianças quando os homens saíam em guerra, por exemplo, pois ofereciam meios de se defender. Nesse período, Neemias — copeiro do rei persa Artaxerxes I — tomou conhecimento da situação precária de Jerusalém. É nesse contexto que tem início o livro de Neemias.

A proposta de *Gloriosas ruínas* é levar ao seu conhecimento princípios que regem qualquer processo de restauração na trajetória de uma pessoa, em qualquer área de sua vida. Quando falamos em reconstrução, nos referimos, por exemplo, a casamentos em crise, problemas de identidade ou mazelas sociais. Desejo tratar nesta obra da restauração daquilo que se perdeu no tempo, da alegria que se foi, de um relacionamento que foi destruído, da vida profissional ou empresarial que foi devastada. Ouso dizer que até mesmo a restauração do próprio Brasil depende da obediência a esses princípios. Para transmiti-los, tomarei como ponto de partida a história deste homem que olhou para uma circunstância desagradável e triste e resolveu avançar e enfrentar cara a cara o problema: Neemias.

PRINCÍPIO DA REALIDADE

Os fatos são aliados e não inimigos

Uma ruína tem pelo menos duas maneiras de ser vista. Ela pode ser percebida da maneira mais óbvia, como um monte de escombros inutilizados, ou como o ponto de partida para uma grande restauração. As ruínas de Jerusalém eram apenas ruínas aos olhos de um cidadão qualquer, mas, aos olhos de Neemias, representavam oportunidade. Aquele jovem nasceu no exílio, no território do reino que dominou Jerusalém. Certamente, ele passou a vida ouvindo histórias sobre o seu povo e sobre a beleza de Jerusalém, do templo de Salomão, das muralhas da cidade. A capital de Judá no seu período áureo tinha sido local de visitação de viajantes de todo o mundo, até mesmo de imperadores, que iam até lá para conhecer a sua glória. Mas, na época de Neemias, o que no passado fora beleza e esplendor eram agora escombros. E aquelas ruínas foram apresentadas a Neemias, como nos mostra o relato do início do livro bíblico que leva o seu nome:

Palavras de Neemias, filho de Hacalias: No mês de quisleu, no vigésimo ano, enquanto eu estava na cidade de Susã, Hanani,

Princípio da realidade   29

um dos meus irmãos, veio de Judá com alguns outros homens, e eu lhes perguntei acerca dos judeus que restaram, os sobreviventes do cativeiro, e também sobre Jerusalém.

E eles me responderam: "Aqueles que sobreviveram ao cativeiro e estão lá na província passam por grande sofrimento e humilhação. O muro de Jerusalém foi derrubado, e suas portas foram destruídas pelo fogo".

Quando ouvi essas coisas, sentei-me e chorei. Passei dias lamentando-me, jejuando e orando ao Deus dos céus. Então eu disse:

Senhor, Deus dos céus, Deus grande e temível, fiel à aliança e misericordioso com os que te amam e obedecem aos teus mandamentos, que os teus ouvidos estejam atentos e os teus olhos estejam abertos para a oração que o teu servo está fazendo diante de ti, dia e noite, em favor de teus servos, o povo de Israel. Confesso os pecados que nós, os israelitas, temos cometido contra ti. Sim, eu e o meu povo temos pecado. Agimos de forma corrupta e vergonhosa contra ti. Não temos obedecido aos mandamentos, aos decretos e às leis que deste ao teu servo Moisés.

Lembra-te agora do que disseste a Moisés, teu servo: "Se vocês forem infiéis, eu os espalharei entre as nações, mas, se voltarem para mim, obedecerem aos meus mandamentos e os puserem em prática, mesmo que vocês estejam espalhados pelos lugares mais distantes debaixo do céu, de lá eu os reunirei e os trarei para o lugar que escolhi para estabelecer o meu nome".

Estes são os teus servos, o teu povo. Tu os resgataste com o teu grande poder e com o teu braço forte. Senhor, que os teus ouvidos estejam atentos à oração deste teu servo e à oração dos teus servos que têm prazer em temer o teu nome. Faze com que hoje este teu servo seja bem-sucedido, concedendo-lhe a benevolência deste homem.

Nessa época, eu era o copeiro do rei.

Neemias 1.1-11

Esse texto foi escrito por um homem que tinha tudo para ser omisso diante das ruínas da vida, que tinha tudo para olhar as ruínas da própria existência e do seu povo e dizer: "Eu não tenho nada com isso, estou bem aqui no meu canto, a ruína dessa cidade distante não me afeta. Não vou me preocupar com esse problema". Mas não é o que ocorre.

Neemias, que já era da terceira geração de israelitas que nasceram no cativeiro, está no palácio quando recebe uma comitiva que vinha de Jerusalém, formada por seus compatriotas. Ao recebê-los, Neemias toma uma atitude muito arriscada: faz uma pergunta. Fazer perguntas pode ser algo que mexa eternamente com sua vida. Mesmo que em determinado momento de ruínas você não tenha as respostas certas, se fizer a pergunta certa conseguirá ver os fatos de uma maneira que mexerá profundamente com você.

Quando Hanani chega, Neemias pergunta a ele sobre os judeus que restaram, os sobreviventes do cativeiro, e também sobre Jerusalém. Você pode se questionar sobre o que essa pergunta tem a ver com o plano de restauração para a sua vida, a sua alma, os seus relacionamentos, a sua saúde, a situação do Brasil. A resposta é que Deus deseja que você tome conhecimento do Princípio da realidade, isto é, que você conheça os fatos. O Senhor quer lhe apresentar as realidades da vida e não devaneios, mitos, contos irreais.

Nós muitas vezes vivemos de fábulas, mas Deus quer nos mostrar fatos. Se não virmos a realidade, não saberemos como lidar com os processos de devastação em nossa vida. É como a esposa que chega para o marido e pergunta: "Onde você estava na sexta-feira à noite?", o pai que pergunta à filha: "Quem é aquele rapaz com quem você saiu?", ou a mãe que diz ao filho: "Aquele seu telefonema me deixou muito confusa. Com quem você estava falando sobre comprar alguma coisa?".

A verdade é o princípio basilar sobre o qual o castelo da reconstrução pode ser erguido. Sem verdade não há restauração. Aprenda a fazer perguntas para a vida, para os fatos. Tente responder: O que é isso? O que está acontecendo? O que existe por trás dessa realidade? É difícil receber, por exemplo, um diagnóstico com más notícias sobre nossa saúde, mas, sem dúvida alguma, é muito melhor tomar conhecimento de alguma situação médica dolorosa do que ouvir dos especialistas um conto de fadas, que nos deixa felizes, mas tira de nós a seriedade e a realidade dos fatos. Além disso, como começar um tratamento correto se não temos um diagnóstico preciso?

Alguns pais não querem conversar com o filho, para não descobrir o que está acontecendo. Há esposas que pensam: "Não, eu não vou entrar ali, não vou abrir aquela porta, não vou ver aquela ligação, não vou vasculhar aquela informação... porque tenho muito medo de que as minhas dúvidas sejam verdadeiras". Isso é tolice. Porque, para que haja restauração na sua vida, os fatos têm de ser vistos como amigos, como aliados, e não como inimigos. Porque é a partir de fatos, de circunstâncias muito claras, que nós conseguiremos seguir o projeto de restauração que Deus tem para nós.

Você nunca vai restaurar um casamento em frangalhos se não assumir o compromisso de entender os fatos, de coletar a realidade, de olhar face a face o problema e de aceitar que é a partir dos fatos que Deus promove a restauração. Muitas vezes nós temos medo da verdade. Mas Neemias não. Ele quis saber o que estava acontecendo com seu povo. Deve ter feito perguntas como: "Como anda Jerusalém?", "Como anda minha cidade?", "Como está Judá?", "Como vai o meu povo?", "Diga-me, Hanani, não me esconda nada".

Deus não opera fora da ótica e da órbita da verdade. Sem verdade não há restauração. Sem fatos concretos a respeito daquilo que precisa ser restaurado, sem conhecimento real da extensão dos danos, sem entendimento claro da profundidade da dor, sem ter um panorama explícito das dimensões da nossa ruína... não temos como construir algo novo.

Jesus disse: "Eu sou o caminho, a verdade e a vida. Ninguém vem ao Pai, a não ser por mim" (Jo 14.6). Jesus é o caminho e, também, a verdade. A mentira é um solo terrível para cultivarmos a vida, porque a Bíblia explica que o Diabo é o pai da mentira (Jo 8.44). A mentira é inimiga da restauração. Se o seu pai chega até você e pergunta se está vendo pornografia ou usando drogas e você mente, está fechando a porta da restauração. Não há como haver reconstrução sem verdade, não há como lutar por alguém, interceder por uma pessoa para que ela saia de um estado para outro, sem que você saiba o que se passa naquela vida.

Nós precisamos ter os fatos como nossos aliados e não como inimigos. Porque *sem verdade não há restauração*.

Neemias foi atrás da verdade. Ele quis saber o que verdadeiramente estava acontecendo com seu povo, sem meias verdades, sem paliativos. De igual modo, você é desafiado a olhar para sua alma no espelho e perguntar, sem medo da resposta: "O que há comigo?". A mentira nos cega a ponto de começarmos a mentir para nós mesmos, o que nos faz ignorar quem de fato somos. Se mentimos e fugimos da realidade, não enxergamos as falhas em nossa espiritualidade, em nossa santidade. Mas, se você encara a verdade a partir da beleza de quem você é para Deus, com amor e graça, seu olhar será de restauração. Não deixe que verdades ocultas em sua vida façam você parecer quem não é — nem menor, nem maior: simplesmente você. Deus quer você. Você. Como você é, sem subterfúgios, distorções ou mentiras. A realidade a seu respeito é o palco onde Deus vai usar seu poder para pôr em ação o plano de restauração que tem preparado para sua vida.

Assim, o primeiro princípio para a restauração é o Princípio da realidade. É a percepção corajosa e real dos problemas e das falhas, para que o diagnóstico seja preciso e demonstre todos os contornos do mal a ser combatido. Pergunte-se: "Como vai a minha vida?", "Quem eu sou?", "Como está realmente o estado do meu casamento?", "Como está o estado da minha saúde?", "O que tenho feito com a minha saúde?". Com as perguntas certas e as respostas verdadeiras, começa o processo de restauração das áreas de sua vida que estão em ruínas.

Quando Neemias vê os fatos com clareza e sem distorções, ele dá o segundo passo do processo que levaria à reconstrução de Jerusalém: a inquietação.

> **PARA REFLEXÃO**
>
> Quais são as ruínas que você precisa restaurar, em sua vida ou na de alguém próximo? Descreva os fatos com o máximo de clareza, sem maquiagens.
>
> _____
>
> _____
>
> _____
>
> _____
>
> _____
>
> _____
>
> _____

PRINCÍPIO DA INQUIETAÇÃO

Não restauramos nada que antes não nos incomode

Neemias ouve o relato de seu irmão acerca da situação em que Judá e Jerusalém se encontram. Ao tomar conhecimento do estado lastimável da terra que Deus prometera ao seu povo, ele senta, chora e passa dias lamentando, jejuando e orando ao Todo-poderoso (Ne 1.4). Aquele homem toma conhecimento da realidade e tem uma percepção que afeta todos nós: a verdade dos fatos nem sempre traz alegria. O que a realidade precisa proporcionar é, no mínimo, inquietação. Verdade que não produz inquietação no coração não abre espaço para mudanças. Ninguém luta para mudar e reconstruir aquilo que antes não o incomodava.

Um exemplo disso é estar acima do peso. Esse é um problema contra o qual muitos de nós lutamos, especialmente depois dos 30 anos. Começamos a ganhar gordurinhas indesejadas e passamos a ouvir comentários como "Você está gordinho, não é?", ou "Está ficando bonitinho esse rostinho vermelhinho". Se isso não gerar incômodo, você não vai fazer nada. Enquanto não estourar um zíper na hora em que estiver atrasado para ir ao trabalho, por exemplo, as camadas extras de gordura continuarão onde estão, pois o que não o inquieta não produz em você desejo de mudança.

Outro exemplo típico é o vício em cigarro. É impossível alguém parar de fumar se não chegar a um nível alto de inquietação, tamanha é a dependência que o tabaco provoca! Enquanto o fumante estiver em paz consigo mesmo, sem sentir nada, associando seu hábito a beleza e *glamour*, tudo continuará igual. Até o dia em que ele começa a tossir, sem conseguir dormir, e passa a questionar o que o cigarro está fazendo de fato com seu organismo. É quando ele começa a pensar, inquieto, na possibilidade de estar desenvolvendo um problema grave de saúde.

O mesmo ocorre com um dependente químico de outras drogas além do tabaco. Quem é viciado em álcool ou substâncias ilícitas enfrenta essencialmente dois desafios: primeiro, reconhecer que é dependente (o Princípio da realidade). Segundo, começar a ser incomodado por aquilo que está vivendo (o Princípio da inquietação). Já vi pessoas viciadas que não sentem nenhum incômodo enquanto o problema se resume a roubar o dinheiro da própria mãe ou vender uma coisa ou outra da geladeira para sustentar o vício. Mas, quando o traficante começa a telefonar para a sua casa, com ameaças de morte, aí a pessoa passa a se incomodar com aquilo.

O que não o incomoda não faz você mudar. Casos de adultério são exemplos típicos. A pessoa é casada, tem um bom cônjuge, mas resolve se envolver com um amante e viver a mentira de um caso extraconjugal. Ela vai levando a situação com tranquilidade, e nada a aborrece. Até o dia em que a verdade vem à tona, a corda está para se romper e o cônjuge ameaça entrar com o pedido de divórcio. Aí, pronto, aquilo começa a incomodar. Ou o cônjuge infiel se nega a ouvir a voz do incômodo antes de ser descoberto e agora terá de ouvir uma voz mais alta e pior, produzida pela descoberta pública da verdade.

Como a tendência é nos movermos para reconstruir nossas ruínas somente depois das inquietações, felizes são os que descobrem essa verdade e automaticamente se inquietam, para que Deus opere a restauração. É a percepção incômoda de que somos orgulhosos, prepotentes, grosseiros, desatentos ou o que for. Devemos desejar a transformação com todas as nossas forças e orar ao Senhor pedindo que nossas áreas problemáticas nos incomodem profundamente. Não devemos esperar que o nível de incômodo seja tamanho a ponto de a restauração parecer apenas uma válvula de escape para enfrentarmos a realidade. Melhor mesmo é agir logo que a inquietação nos alcançar, pelo simples fato de que precisamos da restauração, por amor a Deus, ao próximo e a nós mesmos.

Não podemos esquecer que as maiores e mais positivas revoluções que aconteceram na história da humanidade foram consequências de justas inquietações, que promoveram reflexões profundas e geraram ações vigorosas voltadas à implantação de mudanças necessárias — em contextos hostis, desumanos e repletos de destruição. A inquietação é, portanto, uma das primeiras e mais importantes pedras na construção de uma nova história, pois desafia a acomodação e luta contra a consolidação de um *status quo* marcado por dores e cinzas.

Quando Neemias recebe a notícia sobre a situação deplorável da terra que Deus tinha prometido ao seu povo, ele se senta, chora e começa a ser tomado por uma grande inquietação, que o leva a fazer uma oração: "... Confesso os pecados que nós, os israelitas, temos cometido contra ti. Sim, eu e o meu povo temos pecado. Agimos de forma corrupta e vergonhosa contra ti. Não temos obedecido aos mandamentos, aos decretos e às leis que deste ao teu servo Moisés" (Ne 1.6-7). É quando entra em prática o terceiro princípio: o da confissão.

> **PARA REFLEXÃO**
>
> Identifique quais áreas de sua vida precisam passar por mudanças, mas que até hoje não sofreram nenhuma intervenção que desse início ao processo de transformação. Descreva o que seria necessário acontecer para que você se inquietasse a ponto de começar esse processo.

PRINCÍPIO DA CONFISSÃO

Precisamos admitir nossa parcela de
culpa no que tem de ser restaurado

3

Da mesma maneira que a restauração de Israel começa no momento em que Neemias faz a oração de confissão, no instante em que você consegue orar sobre o que diz respeito à sua própria realidade e às suas ruínas pessoais, tem início o processo de restauração em sua vida. A esse respeito, é importante observar uma realidade importante no paralelo entre o que Neemias viveu e o que nós vivemos.

No caso de Neemias, a ruína de Judá e Jerusalém era fruto de pecado cometido pelo povo, que havia se entregado à idolatria, à corrupção e à falta de amparo aos desassistidos. No nosso caso, o que enfrentamos não necessariamente é fruto do nosso pecado individual, mas, sim, do pecado corporativo da humanidade da qual somos parte. Se morremos é porque pecamos; se adoecemos é porque o nosso organismo é falível. Nós perdemos a vida, ficamos doentes e sofremos como consequência do pecado da humanidade, que traz consigo guerras, discussões, divisões, incertezas e danos que nos causamos mutuamente.

Neemias vai direto ao que interessa, ele vai direto ao ponto. Seria mais fácil a ele chegar e dizer a Deus que o povo de Judá era ruim, que os babilônios eram ruins, que Nabucodonosor tinha pecado ao destruir Jerusalém, e começar a fazer montes de questionamentos: "Por que o Senhor permitiu que Nabucodonosor fizesse o que fez?"; "Por que a mãe de Nabucodonosor não o abortou?"; "Por que foram tão sanguinários conosco?"; "Por que destruíram o templo?"; "Por que destruíram os muros de Jerusalém?"; e tantos outros. Afinal, quando alguém é descoberto em algum pecado, normalmente não o reconhece, mas faz de tudo para desviar o foco do problema real. Em geral, o que o transgressor faz é negar; em seguida, culpar alguém; por fim, encontrar um jeito para entrar na ostra e transferir a culpa para quem reclamou. Só que isso faz de nós crápulas à luz da Bíblia.

Neemias não age dessa maneira. Ele não questiona Deus, mas vai direto ao assunto e reconhece a transgressão: "... Confesso os pecados que nós, os israelitas, temos cometido contra ti. Sim, eu e o meu povo temos pecado. Agimos de forma corrupta e vergonhosa contra ti. Não temos obedecido aos mandamentos, aos decretos e às leis que deste ao teu servo Moisés" (Ne 1.6-7). É interessante ouvir isso de Neemias, porque ele não fazia parte do povo que pecou contra Deus durante o período pré-exílico, ele é de uma geração posterior. A destruição de Jerusalém pela Babilônia tinha acontecido no ano 586 a.C., quando ele ainda não era nascido. Possivelmente, o cativeiro teve início na época de seu avô. Neemias já nasceu no exílio, na época em que a Babilônia foi tomada pelos persas. Mesmo assim, ele põe em prática o tão valioso e belo Princípio da confissão.

Se você quer tocar o coração de Deus, quebrante-se e confesse os seus erros. É extraordinário o que acontece quando chegamos para alguém de carne e osso, como nós, e fazemos confissões como: "Eu pequei contra você"; "Eu fui egoísta"; "Eu só pensei em mim"; "Eu dediquei meu tempo todo ao trabalho e não a conversar com você"; "Sei que você tem mágoas que eu ajudei a causar"; "Perdoe-me". Se com pessoas essa postura já produz resultados fantásticos, quanto mais com o Senhor!

A restauração vem quando a inquietação nos move a entrar em um processo de confissão de pecados, em oração, a Deus. É quando reconhecemos que fizemos o que contraria a sua perfeita vontade. O Senhor é um Deus amoroso, misericordioso, perdoador. Ele quer reconstruir vidas em ruínas, mas, para tanto, precisa que reconheçamos nossos erros. Com isso, Deus nos levanta e nos leva para o lugar que preparou para cada um de nós. Essa oração de confissão transparente e cheia de confiança foi a que Neemias fez.

No que se refere a relacionamentos interpessoais, quando pisamos na bola com alguém, o caminho da reconciliação é este: devemos pegar os fatos, nos inquietar com eles e começar a agir em oração e confissão, mesmo que o outro ainda não tenha aceitado nem entrado no processo de restauração conosco. Mas uma coisa é certa: o ideal é começar já em paz com Deus, mediante o reconhecimento de nossas transgressões. Diga a Deus: "Senhor, quero confessar o meu pecado; ajuda-me". Uma das passagens bíblicas que mais me inspiram é o salmo 51, em que Davi, após cometer adultério e determinar o assassinato do marido de Bate-Seba, rasga o coração diante de Deus e reconhece o seu terrível pecado.

Tem misericórdia de mim, ó Deus, por teu amor; por tua grande compaixão apaga as minhas transgressões. Lava-me de toda a minha culpa e purifica-me do meu pecado. Pois eu

Princípio da confissão **45**

mesmo reconheço as minhas transgressões, e o meu pecado sempre me persegue. Contra ti, só contra ti, pequei e fiz o que tu reprovas, de modo que justa é a tua sentença e tens razão em condenar-me. Sei que sou pecador desde que nasci, sim, desde que me concebeu minha mãe. Sei que desejas a verdade no íntimo; e no coração me ensinas a sabedoria. Purifica-me com hissopo, e ficarei puro; lava-me, e mais branco do que a neve serei. Faze-me ouvir de novo júbilo e alegria, e os ossos que esmagaste exultarão. Esconde o rosto dos meus pecados e apaga todas as minhas iniquidades. Cria em mim um coração puro, ó Deus, e renova dentro de mim um espírito estável. Não me expulses da tua presença, nem tires de mim o teu Santo Espírito. Devolve-me a alegria da tua salvação e sustenta-me com um espírito pronto a obedecer. Então ensinarei os teus caminhos aos transgressores, para que os pecadores se voltem para ti. Livra-me da culpa dos crimes de sangue, ó Deus, Deus da minha salvação! E a minha língua aclamará à tua justiça. Ó Senhor, dá palavras aos meus lábios, e a minha boca anunciará o teu louvor. Não te deleitas em sacrifícios nem te agradas em holocaustos, senão eu os traria. Os sacrifícios que agradam a Deus são um espírito quebrantado; um coração quebrantado e contrito, ó Deus, não desprezarás.

Salmos 51.1-17

Nesse salmo nós vemos um homem profundamente quebrantado e disposto a restaurar as suas ruínas existenciais. Davi entendia muito bem a importância da confissão como uma semente imprescindível a qualquer sonho de reconstrução. Sem confissão não pode haver perdão e, sem perdão, ruínas serão sempre ruínas, ainda que mascaradas por aparências.

A restauração começa em nós, no nosso espelho, quando quebramos a convexidade e quando abandonamos a concavidade de uma autoanálise torta a nosso respeito. Deus deseja que nos vejamos em um plano reto, em um espelho limpo, para que nossa alma seja, então, esboçada para fora e tome contornos reais. A partir de então somos inquietados. E, a partir da inquietação, coisas novas começam a acontecer. Cada pessoa vive uma tragédia individual; existem tipos de ruínas bem diversificados. Seja qual for a ruína que tenha vindo sobre a sua vida, a realidade de princípios é a mesma. Deus quer que você conheça a verdade, depois se inquiete com ela e, em seguida, mergulhe em um processo de confissão. É essa atitude que dará início ao processo de restauração de seu relacionamento com o Senhor e tudo o mais fluirá dessa relação pessoal.

Temos de falar abertamente do nosso problema, sem subterfúgios. Quando não temos medo de escancarar a alma e deixamos de lado qualquer ideia caricatural da nossa vida, nos apresentamos ao Senhor como ele já sabe que somos. Quem usava caricaturas para se fazer ver pelos demais eram os fariseus da época de Cristo, homens hipócritas que se apresentavam de modo diferente do que eram na verdade. Nós não precisamos usar caricaturas, pois Deus quer nos ver frente a frente, como somos. Ele deseja que lhe apresentemos nossa fraqueza, nossos erros e nossos acertos; sem concavidades, sem convexidades: simplesmente a plenitude do que verdadeiramente somos.

Assim como a oração de Neemias começou um processo lindo, a partir do momento em que confessamos nossa realidade interior para Deus, o rio de águas vivas começa a fluir em nossa vida. É quando Deus passa a movimentar-se em nosso meio, na nossa casa, na nossa vida, e começa a promover mudança em nós. Creio que Deus quer nos virar de cabeça para baixo, para que nos apresentemos a ele como somos, em processo de restauração. Creio que a cada dia o Senhor está fazendo o melhor em nossa vida, em nossos relacionamentos.

Lembro-me de certa ocasião em que a polícia de Pernambuco entrou em greve. Os jornais noticiaram que isso estimulou uma onda de criminalidade, com saques de lojas e atitudes semelhantes. Na cidade de Abreu e Lima, multidões saqueavam o comércio; eram mulheres, meninos, idosos... todo mundo contribuindo para a ruína daquela comunidade. Parece que o espírito da maldade começou a imperar naquele momento, e pessoas pacatas, sem histórico de crimes, enveredaram pelo caminho dos saques, do roubo. Só que Abreu e Lima é uma das cidades nordestinas que mais têm a presença de igrejas, especialmente da Assembleia de Deus. Em meio ao caos, em determinado domingo alguns pastores começaram a fazer a oração de Neemias na igreja, a pregar contra o pecado coletivo e a clamar pedindo perdão ao Senhor. Os cristãos entraram em um processo de oração e jejum por tudo aquilo que tinha acontecido. Depois daquele domingo de oração, centenas de pessoas se apresentaram à polícia para devolver o que tinham roubado. Homens e mulheres foram às autoridades confessar seus delitos e dizer que não deveriam ter cometido tais atos. O discurso coletivo seguia esta linha: "Está aqui o que roubei. Eu errei e cometi um crime". Foi um quebrantamento muito grande na cidade.

Quando uma nação, um povo, realmente se humilha diante de Deus e ora, pedindo perdão com total transparência e sem máscaras ou maquiagem, grandes coisas acontecem no mundo espiritual. A história dos grandes avivamentos ocorridos ao longo dos séculos é marcada por um reconhecimento sincero e em massa dos pecados. Isso aconteceu, por exemplo, no País de Gales, depois na Nova Inglaterra, no primeiro e no segundo grandes despertamentos. As pessoas entravam em um processo de auto-humilhação, confissão e oração, pedindo ajuda ao Senhor pela própria natureza pecaminosa.

Deus faz coisas grandes em nossa vida quando entramos em um processo de confissão genuína do nosso pecado, quando expomos a ele quem somos e acreditamos que o Espírito Santo passa com água viva dentro de nós. Com isso, conseguiremos ir além, em esferas mais profundas do relacionamento com o Senhor, onde conheceremos a face de Deus de maneira muito mais plena e ampla. Tudo passa pela confissão genuína e profunda das nossas iniquidades.

PARA REFLEXÃO

Liste quais são os pecados que você cometeu, mas ainda não confessou a Deus. Em seguida, ore ao Senhor, pedindo perdão e se dispondo a não mais cometer a mesma transgressão.

PRINCÍPIO DA PACIÊNCIA

Ser paciente é dominar a arte de
saber a hora certa de agir

Depois de perceber o problema, ficar inquieto com a situação e fazer confissão pelos erros cometidos, Neemias continua em sua oração: "Senhor, que os teus ouvidos estejam atentos à oração deste teu servo e à oração dos teus servos que têm prazer em temer o teu nome. Faze com que hoje este teu servo seja bem-sucedido, concedendo-lhe a benevolência deste homem. Nessa época, eu era o copeiro do rei" (Ne 1.11). O "homem" a quem ele se referia era o imperador da Pérsia, o rei Artaxerxes. Neemias pediu a Deus que o monarca fosse benevolente com ele para que pudesse ir a Jerusalém. O texto continua:

No mês de nisã do vigésimo ano do rei Artaxerxes, na hora de servir-lhe o vinho, levei-o ao rei. Nunca antes eu tinha estado triste na presença dele; por isso o rei me perguntou: "Por que o seu rosto parece tão triste, se você não está doente? Essa tristeza só pode ser do coração!" Com muito medo, eu disse ao rei: Que o rei viva para sempre! Como não estaria triste o meu rosto, se a cidade em que estão sepultados os meus pais

Princípio da paciência   51

está em ruínas, e as suas portas foram destruídas pelo fogo? O rei me disse: "O que você gostaria de pedir?" Então orei ao Deus dos céus, e respondi ao rei: Se for do agrado do rei e se o seu servo puder contar com a sua benevolência, que ele me deixe ir à cidade onde meus pais estão enterrados, em Judá, para que eu possa reconstruí-la. Então o rei, estando presente a rainha, sentada ao seu lado, perguntou-me: "Quanto tempo levará a viagem? Quando você voltará?" Marquei um prazo com o rei, e ele concordou que eu fosse.

Neemias 2.1-6

É interessante perceber que Neemias apresenta a causa ao rei com urgência, como um problema que deveria ter uma solução imediata, iniciada no tempo presente. Ele não orou, dizendo "Senhor, que tal dia, em tal hora, eu possa contar com a benevolência do rei"; mas demonstrou pressa. Hoje é o nosso dia, sempre. Constantemente pedimos a Deus, em oração, as coisas para hoje mesmo. O *hoje,* porém, expressa ansiedade, imediatismo, desespero. Muitas vezes nos posicionamos na frente de Deus e dizemos assim: "Senhor, resolve hoje, resolve agora o meu problema!".

Claro que não custa nada pedir que a resposta venha logo, até porque, para determinadas questões, Deus realmente providencia a resposta para *hoje.* Ele é o Senhor do tempo, é soberano, e pode fazer as soluções aparecerem de imediato. Mas nem sempre é assim. Quando a resposta do Senhor demora a vir, é que precisamos pôr em prática o Princípio da paciência.

Vejamos quanto tempo levou para Deus responder à oração do copeiro do rei. Em Neemias 1.1, lemos que ele recebeu a notícia da situação de Jerusalém e pediu que Deus interviesse no mês do calendário judaico chamado *quisleu.* Os judeus não usam o calendário solar, como nós, mas, sim, o calendário lunar, que tem algumas variações. Quando comparamos os dois calendários, vemos que *quisleu* ocorre entre os meses de novembro e dezembro. É nesse período que o copeiro do rei recebe a notícia de seu irmão acerca de Jerusalém e dos israelitas que estavam em Judá e ora a Deus, pedindo a restauração do povo. Prosseguindo na leitura, vemos que Artaxerxes começa a conversar com Neemias sobre a sua ida a Jerusalém no mês de *nisã* (2.1). *Nisã* é outro mês do calendário judaico que coincide com o período entre março e abril. Assim, vemos que Neemias ora ao Senhor sobre uma oportunidade de falar com o rei durante um período de cerca de quatro meses. Haja paciência, literalmente.

Não há restauração se não respeitarmos o Princípio da paciência. Deus é o Senhor do tempo, e não nós. Por isso, precisamos agir, lutar e buscar, mas o tempo é do Senhor, o soberano. Nós, seres humanos, somos indivíduos impacientes e ansiosos, e é difícil para quem é impaciente e ansioso esperar o tempo de Deus.

Neemias, porém, persevera na oração, esperando que Deus abra uma oportunidade de ele conversar com o rei, o que só aconteceu quatro meses depois. O Senhor poderia ter criado essa situação no mesmo dia? Claro que sim. Poderia ter criado dois meses, dois anos, três anos ou vinte anos depois. É ele quem decide. A restauração que vem do trono celestial está ligada diretamente à soberania de Deus sobre o tempo. Cabe a nós acatar e obedecer ao Princípio da paciência.

Precisamos saber que Deus nos ama e sabe o que está fazendo; que ele nos toma pela mão e vai à nossa frente, pois tem um plano para nós. O que temos de fazer é esperar nele e ter paciência, porque, quando chegar a hora e o Senhor decidir agir, ninguém será capaz de impedi-lo. Nossa humanidade quer a intervenção de Deus sempre para hoje, mas ele sabe quando é o melhor momento para responder às orações.

O patriarca Abraão, conhecido como o "pai da fé", recebeu lindas promessas do Senhor, que eram o prenúncio da vinda do Messias por meio da linhagem do seu futuro descendente Isaque. Abraão e sua esposa, Sara, não podiam ter filhos em razão da idade avançada e da esterilidade, mas Deus não está restrito a limitações. Desse modo, após muito tempo esperando no Senhor, Abraão foi agraciado com o filho prometido. Ao se referir à paciência de Abraão, o escritor da carta aos Hebreus registrou: "E foi assim que, depois de esperar pacientemente, Abraão alcançou a promessa" (Hb 6.15).

É por essa razão que você deve sempre orar desta maneira: "Senhor, ajuda-me a aplicar em minha vida, em todos os processos de restauração da alma, dos relacionamentos, do trabalho e do país, o Princípio da paciência".

PARA REFLEXÃO

Você se considera uma pessoa paciente? Se sua resposta for negativa, escreva o que acredita que poderia fazer, de forma prática, para promover essa mudança em sua maneira de ser.

_____

_____

_____

_____

_____

_____

PRINCÍPIO DA TRANSPARÊNCIA

Deus se responsabiliza pelos efeitos da verdade

Neemias encontra o momento oportuno para tratar com o rei do assunto que arde em seu coração graças à sua paciência. Mas não só isso. Se ele não tivesse sido transparente com relação ao que estava sentindo, a conversa que proporcionou ao copeiro receber o que desejava talvez não acontecesse naquele momento. Perceba que o diálogo começa porque o imperador persa se dá conta de que algo não está bem com Neemias: "Por que o seu rosto parece tão triste, se você não está doente? Essa tristeza só pode ser do coração!", questionou Artaxerxes. Era a deixa que Neemias vinha pedindo a Deus havia quatro meses: "Que o rei viva para sempre! Como não estaria triste o meu rosto, se a cidade em que estão sepultados os meus pais está em ruínas, e as suas portas foram destruídas pelo fogo?".

Conheci um adolescente que me chamou muito a atenção. Ele era sempre firme em seus posicionamentos, mas, a certa altura, percebi que o rapaz estava passando por uma grande crise por causa de algo que o inquietava profundamente. Percebi com clareza que algo estava se passando em sua alma, porque chamou minha atenção o fato de que ele reagia a situações alegres e trágicas da mesma maneira. Fizesse sol ou chuva, ele ficava com o mesmo semblante, a mesma expressão facial. Naturalmente, comecei a me preocupar. Eu o abordei e perguntei se ele estava passando por alguma situação difícil. E indaguei: "Por que você não chora, não expressa seus sentimentos, não demonstra o que se passa no seu coração?". Ele respondeu: "Porque fui ensinado por meus pais, desde criança, a esconder as minhas fragilidades".

Pense sobre isso. Quantas pessoas tentam demonstrar equilíbrio quando, na verdade, não há equilíbrio algum? Quantas vezes, diante de fatos que nos entristecem — como o fracasso de um relacionamento ou a falência de uma empresa — nós agimos como atores no palco da vida, tentando expressar com sorrisos aquilo que deveria ser expresso com lágrimas?

Deus não está à procura de super-homens. Meus filhos não precisam de um superpai, mas, sim, de um pai transparente, que saiba transmitir por meio do seu olhar se sente dor, alegria, luto ou felicidade. Se Deus nos dotou de um arsenal de sentimentos e percepções diante de todos os reflexos e impulsos da vida, é porque ele espera que sejamos absolutamente transparentes.

Neemias entra na presença do rei e o monarca percebe pelo seu semblante e pelo seu jeito que algo está fora do normal. Certamente o copeiro chegou com o rosto extremamente abatido diante de Artaxerxes. A Bíblia diz que ele teve medo de responder quando o imperador perguntou o que se passava com ele. De igual modo, muitas vezes nós perdemos a oportunidade de restaurar algo em nossa vida — uma amizade, um casamento, um processo qualquer da nossa existência — porque teimamos em agir como hipócritas e usar máscaras que escondem a realidade do nosso coração. Deus não quer que sejamos um povo que esconde as suas dores. Deus não espera que escondamos os sentimentos.

Tenho dificuldades com algumas áreas da vida, mas uma certeza possuo: consigo transitar pelas estradas da vida com o rosto que Deus me deu naquele momento, naquela circunstância, com aquela alegria ou com aquela dor. As pessoas que me conhecem um pouco mais de perto dizem que é muito fácil saber se o pastor Sérgio está triste ou feliz, porque não escondo meu estado de espírito. Em certa ocasião, eu e minha esposa, Samara, passamos por uma grande luta. Eu estava arruinado física e emocionalmente, e a primeira coisa que fiz foi gravar um vídeo no hospital para mostrar à igreja que pastoreio, com a cara limpa, com todas as minhas dores e tristezas. Não escondo quem eu sou.

Deus ama aqueles que são quebrantados no rosto, que mostram o que sentem, que se apresentam inquietados e frágeis diante das tragédias da vida. E, na hora em que fazemos isso, Deus levanta um exército para nos ajudar e interceder por nós. Mas aqueles que querem se mostrar como gigantes diante da vida não precisam de ajuda e morrerão sozinhos, agonizando uma dor que não expressam no olhar. Fico pensando sobre quanta restauração deixa de acontecer pelo fato de que uma ou outra parte no processo anda de nariz em pé, como se nada estivesse acontecendo, como se ninguém estivesse sentindo nada. Não há coisa pior do que, em um processo de reconciliação, você olhar para o outro e vê-lo desdenhoso, como se a sua amizade, a restauração que você busca, não tivesse a menor importância para ele — como se ele não estivesse sofrendo. Mas é muito bom quando olhamos para o outro e podemos dizer: "Como eu poderia estar feliz se o nosso relacionamento está quebrado?".

Neemias olha para o rei e não diz: "Não, Majestade, é bobagem; não se preocupe com isso. Está tudo bem". O que ele responde é de uma veracidade cortante: "Como não estaria triste o meu rosto, se a cidade em que estão sepultados os meus pais está em ruínas, e as suas portas foram destruídas pelo fogo?". Deus espera que você se levante e diga: "Como eu posso estar feliz se lhe fiz esse mal, meu amor?"; "Meu filho, como eu poderia estar feliz se não tenho sido o pai que você merece?"; "Meu amigo, como eu poderia esconder que estou triste se a nossa amizade desceu pelo ralo da vida e escorreu por entre os nossos dedos?".

Deus quer nos restaurar e, também, quer que restauremos as coisas. E, nesse processo, é importante estarmos cientes de que ele ama a transparência. O Senhor ama o choro verdadeiro e abomina o riso falso. Portanto, chore, grite, expresse a sua humanidade. Não negue a si mesmo o direito de viver a própria essência de ser humano. Não negue. Quando chegamos para alguém e, amorosa e carinhosamente, expressamos do fundo do coração quanto a ruptura de nosso relacionamento está nos fazendo sofrer, damos a Deus oportunidade de trabalhar em nosso favor. Porque o Senhor parte em auxílio daqueles que sofrem.

Olhe para Jesus, o nosso Senhor. Ele chegou ao Monte das Oliveiras e chorou por Jerusalém. Por outro lado, vemos nas Escrituras que Cristo teve seus momentos de alegria, quando, por exemplo, pediu que deixassem as criancinhas ir até ele. Lemos sobre Jesus chorando pela dor das pessoas presentes diante da sepultura de Lázaro. Também no Getsêmani, o Senhor confessou estar profundamente triste. E estamos falando do nosso líder, nosso modelo. Jesus não estimulou em nenhum momento que nos apresentássemos como super-homens. Afinal, nós não somos.

60 Gloriosas ruínas

Jesus, o nosso Mestre, em nenhum momento quis se blindar contra o sofrimento. Um momento da vida de Cristo que me chama a atenção é quando ele está no jardim do Getsêmani, prestes a ser preso e crucificado. Ele chega para seus amigos mais próximos e diz: "... A minha alma está profundamente triste, numa tristeza mortal. Fiquem aqui e vigiem comigo" (Mt 26.38). A humanidade de Jesus é exacerbada naquele momento, quando a Bíblia diz que, de tanto sofrer na alma, começa a ter rupturas nos vasos capilares e a transpirar gotículas de sangue. Não passe maquiagem nos poros de onde Deus quer fazer verter gotas de sangue, porque a sua fragilidade, quando demonstrada de forma transparente, faz parte essencial do processo de restauração.

PARA REFLEXÃO

Você costuma ser transparente com relação ao seu estado de espírito? Se sua resposta for negativa, escreva o que acredita que essa blindagem emocional está gerando em termos de dificuldades para a sua vida e para os seus relacionamentos. E proponha formas práticas para se tornar uma pessoa mais transparente.

_____

_____

_____

_____

_____

_____

PRINCÍPIO DO PLANEJAMENTO

Saber onde chegar, como chegar
e que resultados alcançar

Há um princípio na conversa entre Neemias e o rei que me parece muito claro, mas que, curiosamente, passa despercebido aos olhos de muitos. Repare o que diz o texto:

> O rei me disse: "O que você gostaria de pedir?" Então orei ao Deus dos céus, e respondi ao rei: Se for do agrado do rei e se o seu servo puder contar com a sua benevolência, que ele me deixe ir à cidade onde meus pais estão enterrados, em Judá, para que eu possa reconstruí-la. Então o rei, estando presente a rainha, sentada ao seu lado, perguntou-me: "Quanto tempo levará a viagem? Quando você voltará?" Marquei um prazo com o rei, e ele concordou que eu fosse.
>
> Neemias 2.4-6

Todo projeto de restauração de vida pessoal, profissional, relacional ou social implica algo muito importante: você precisa ter um plano. É como se Deus olhasse para você e dissesse: "Tudo bem, você quer restaurar isso na sua vida. Mas... qual é o seu plano? O que você está disposto a fazer?".

Se não traçamos um planejamento, acabamos estáticos, esperando algo acontecer, mas sem fazer nada para que aconteça. É incrível como muitas pessoas, ao ver a ruína, ficam profundamente apáticas. Elas reagem de modo tão paciente que acabam apodrecendo de paciência. Paciência é uma virtude e um princípio da reconstrução, mas o excesso dela leva ao imobilismo, o que não contribui em nada para a restauração, porque ficar excessivamente paciente e tranquilo nos leva a não fazer absolutamente nada.

Deus não aceita isso de Neemias, mas, por meio do rei, indaga qual é o plano dele, o que pretende fazer. De igual modo, essa pergunta vale para cada um de nós. Se você quer restaurar um relacionamento, o que pretende fazer? Que passos tem a intenção de dar? Se você traça como meta conversar com a pessoa em questão, deve logo planejar: quando será esse diálogo? Em que dia e hora vai telefonar para ela? A quem vai pedir ajuda? Quem serão os seus aliados? O que você está fazendo realmente para alcançar isso? Qual é o seu plano de resgate? Qual é o seu plano de restauração? O que você vai fazer? O que vai dizer? Está pronto para se quebrantar, para abrir o coração? Quem são seus possíveis inimigos nesse processo? O que você está disposto a fazer para restaurar essa amizade ou esse relacionamento afetivo? O que está disposto a fazer para restaurar a relação com seu pai? O que você está disposto a fazer para restaurar a própria sexualidade? Vai parar de acessar a Internet? Muitos são os questionamentos necessários.

Aquele rei foi usado pela própria boca de Deus para mover Neemias e cobrar dele qual era o plano. E eu estou fazendo a mesma coisa agora, por meio deste livro.

Qual é o seu plano para restaurar as ruínas, em detalhes? Sua empresa está arruinada? A crise é grave? Então o que você pretende fazer para restaurar o seu empreendimento? Quem vai procurar? O que vai deixar de gastar? O que precisa cortar: custos, pessoal, produção? Deus quer que nós sejamos proativos e tracemos um plano de fuga do buraco em que caímos.

Alguém poderia dizer que esse princípio contradiz o Princípio da paciência. Não é verdade. É preciso, sim, ter paciência e esperar o tempo de Deus, mas lembre-se do que a Bíblia diz: "Ao homem pertencem os planos do coração, mas do Senhor vem a resposta da língua" (Pv 16.1). Deus nos deu a inteligência para fazer planos e precisamos traçá-los, sempre. A questão não é deixar de planejar, mas planejar e entregar o planejamento ao Senhor, para que ele interfira e faça do jeito que deseja. Porém, Deus quer que tomemos uma atitude, que nos ponhamos em movimento. Ele não quer agir sem que tomemos posições firmes diante da vida, de nossos males, diante daquilo que está arruinado. O Senhor deseja restaurar, ajudar, mudar; mas não sem perguntar: Qual é o seu plano?

Um antigo provérbio chinês nos ensina sobre a importância de um bom planejamento antes de qualquer ação: "Se quiser derrubar uma árvore na metade do tempo, passe o dobro do tempo amolando o machado". De fato, a restauração exige planejamento, caso contrário perdemos força e foco e jogamos para o acaso aquilo que poderia ser considerado antecipadamente. Um bom plano de restauração nos faz economizar tempo e nos torna mais eficientes e eficazes.

Pare um minuto e comece a pensar naquilo que precisa ser restaurado em sua vida. Em seguida, peça ajuda ao Senhor, em oração, para estabelecer um planejamento. "Amole o machado" e mãos à obra.

Princípio do planejamento   65

PARA REFLEXÃO

Você já elaborou um plano para restaurar as ruínas que precisa reconstruir? Liste quais passos pretende dar a fim de atingir sua meta e quais são as etapas que precisa percorrer.

_____

_____

_____

_____

_____

_____

_____

PRINCÍPIO DA INTEGRIDADE

Os fins não justificam os meios

Depois de ser questionado pelo rei acerca de seu plano de ação para restaurar os muros de Jerusalém, Neemias vai adiante e começa a pôr em prática aquilo que tinha planejado.

A seguir acrescentei: Se for do agrado do rei, eu poderia levar cartas do rei aos governadores do Trans-Eufrates para que me deixem passar até chegar a Judá. E também uma carta para Asafe, guarda da floresta do rei, para que ele me forneça madeira para as portas da cidadela que fica junto ao templo, para os muros da cidade e para a residência que irei ocupar. Visto que a bondosa mão de Deus estava sobre mim, o rei atendeu os meus pedidos. Com isso fui aos governadores do Trans-Eufrates e lhes entreguei as cartas do rei. Acompanhou-me uma escolta de oficiais do exército e de cavaleiros que o rei enviou comigo.

Neemias 2.7-9

Neemias esperou pacientemente o momento de falar com o rei, revelou sua insatisfação de maneira transparente, traçou um plano e, em seguida, apresentou ao imperador o seu planejamento. Sua estratégia de ação previa pedir cartas que o autorizassem a pôr em prática o que tinha elaborado. É importante compreendermos a razão de ele ter feito essa solicitação. A Pérsia era um império que dominava outros povos e transformava as terras deles em províncias. Havia muitas províncias espalhadas pelo território que os persas conquistaram, inclusive a província de Judá. Mas, para sair da Pérsia, o copeiro do rei teve de percorrer o que em nossos dias equivale a sair do Irã e prosseguir até Jerusalém. Nesse percurso havia outras províncias, sobre as quais Artaxerxes tinha posto governadores, e, para que Neemias chegasse aonde queria, seria necessário atravessá-las. Por isso, ele pediu ao rei que lhe desse autorizações para que pudesse atravessar todos esses territórios de forma legalizada — um salvo-conduto. Em outras palavras, era como se ele dissesse: "Peço à vossa Majestade que não deixeis que a minha integridade seja questionada por falta de orientações". Neemias quis agir dentro do que era estritamente legal segundo as normas que regiam o Império Persa. E assim ele fez, de forma totalmente íntegra, sem jeitinhos.

Hoje em dia, existe muita deturpação do verdadeiro pragmatismo, linha filosófica criada pelo psicólogo e filósofo americano William James, segundo a qual uma ideia é verdade se funciona na prática. Esse pensamento põe o foco nos resultados e não apenas nos processos. O pragmatismo é ótimo, porque gera produtividade. Por isso, acredito que ser pragmático em algumas circunstâncias da vida não é ruim. Mas o pragmatismo se torna um grande problema quando os fins que desejo alcançar justificam meios espúrios que eu vou utilizar para alcançá-los.

70 Gloriosas ruínas

Por exemplo: se você precisa chegar a determinado lugar com certa pressa, pega o automóvel e parte rumo ao seu destino. A hora para chegar ao local que deseja é marcada e está próxima. Se você acredita que o fim justifica os meios, sairá como um louco pelas ruas, transgredindo as normas de trânsito, cortando outros carros, passando por cima dos canteiros, destruindo montes de coisas pelo caminho. Isso é errado. Portanto, mesmo que a sua finalidade seja justa, os seus meios também têm de ser justos. Se houver transgressão a fim de se chegar aonde se deseja, tudo está errado. É fundamental ter a integridade como princípio.

Suponha que a empresa de certo homem esteja financeiramente arruinada. A fim de reerguer o seu negócio, aquele empresário cumpre todos os princípios que vimos até agora: ele constata que a companhia quebrou, se inquieta com isso e verifica a necessidade de restaurar a empresa, pede a Deus orientação e, então, vê diante de si uma oportunidade para começar a fazer algo novo pela empresa. Com paciência e transparência, chega para as pessoas a fim de solicitar ajuda e traça um plano: diminuir os custos, pagar os funcionários, quitar a dívida com o Fisco e, por fim, pagar os fornecedores. É quando aparece um fiscal. O empresário começa a tremer. O fiscal lhe diz que a companhia deve um milhão de reais em impostos. Mas, em voz baixa, revela um meio para sanear as contas: ele se oferece para entrar no sistema e, de forma fraudulenta, correr a vírgula para a esquerda algumas casas. Com isso, um milhão se transformaria, como num passe de mágica, em dez mil reais. A proposta do fiscal corrupto para o empresário é clara: "Você paga a dívida de dez mil reais à vista e me dá outros dez mil. Com isso, o que seria um milhão, você resolve com vinte mil. Combinado?". Se aquele empreendedor não for íntegro, vai abraçar o fiscal, em lágrimas de gratidão, e será capaz de lhe dizer que ele foi enviado pelo Espírito Santo. Deus não muda os seus princípios. Para ele, é sim, sim; não, não. O Senhor não negocia sua integridade, não se vende nem barganha facilidades ou favores. Neemias sabia disso e, como um servo fiel de Deus, não apenas quis fazer o que era certo, mas da maneira certa. Não use meios escusos e ilícitos para restaurar, porque é uma certeza absoluta que o santo Deus nunca se envolverá com mutretas ou ilegalidades. Não se pode usar de meios ilegais ou imorais para alcançar fins que sejam justos. Sempre precisamos usar meios justos para alcançar fins justos, porque o Senhor é santo e ele só opera na integridade. Sejamos santos como ele é santo e sejamos íntegros como ele é íntegro. Esse é um princípio inviolável e inegociável.

PARA REFLEXÃO

Você já deu "um jeitinho" para resolver algum problema? Até onde você está disposto a ir para manter-se fiel a Deus e perseverar na sua integridade? Você poderia afirmar que é uma pessoa que não negocia o que para Deus é inegociável? O que ainda precisa mudar?

_____

_____

_____

_____

_____

_____

_____

PRINCÍPIO DA GUERRA

Todo processo de restauração nos
põe em um campo de batalha

Neemias enfim se prepara para viajar a Jerusalém e começar a obra de reconstrução a que tinha se proposto, mas reerguer o que havia se tornado ruína não seria fácil, como nos mostra o texto bíblico:

Sambalate, o horonita, e Tobias, o oficial amonita, ficaram muito irritados quando viram que havia gente interessada no bem dos israelitas. Cheguei a Jerusalém e, depois de três dias de permanência ali, saí de noite com alguns dos meus amigos. Eu não havia contado a ninguém o que o meu Deus havia posto em meu coração que eu fizesse por Jerusalém. Não levava nenhum outro animal além daquele em que eu estava montado.

De noite saí pela porta do Vale na direção da fonte do Dragão e da porta do Esterco, examinando o muro de Jerusalém que havia sido derrubado e suas portas, que haviam sido destruídas pelo fogo. Fui até a porta da Fonte e do tanque do Rei, mas ali não havia espaço para o meu animal passar; por isso subi o vale, ainda de noite, examinando o muro. Finalmente voltei e tornei a entrar pela porta do Vale. Os oficiais não sabiam aonde eu tinha ido ou o que eu estava fazendo, pois até então eu não tinha dito nada aos judeus, aos sacerdotes, aos nobres, aos oficiais e aos outros que iriam realizar a obra.

Então eu lhes disse: Vejam a situação terrível em que estamos: Jerusalém está em ruínas, e suas portas foram destruídas pelo fogo. Venham, vamos reconstruir os muros de Jerusalém, para que não fiquemos mais nesta situação humilhante. Também lhes contei como Deus tinha sido bondoso comigo e o que o rei me tinha dito. Eles responderam: "Sim, vamos começar a reconstrução". E se encheram de coragem para a realização desse bom projeto. Quando, porém, Sambalate, o horonita, Tobias, o oficial amonita, e Gesém, o árabe, souberam disso, zombaram de nós, desprezaram-nos e perguntaram: "O que vocês estão fazendo? Estão se rebelando contra o rei?"

Eu lhes respondi: O Deus dos céus fará que sejamos bem-sucedidos. Nós, os seus servos, começaremos a reconstrução, mas, no que lhes diz respeito, vocês não têm parte nem direito legal sobre Jerusalém, e em sua história não há nada de memorável que favoreça vocês!

Neemias 2.10-20

O que aprendemos aqui é que, na hora em que Neemias decidiu que estava tudo pronto, depois de ter posto em prática todos os princípios listados até agora, ele encontrou oposição ao seu projeto de restauração. Sambalate, o horonita, e Tobias, o oficial amonita, ficaram muito irritados quando viram que havia gente interessada no bem dos israelitas. Esses dois homens não estavam na Pérsia; eram líderes, governadores de províncias circunvizinhas, que tomaram conhecimento de que Artaxerxes tinha liberado Neemias e o nomeado governador da pequena província de Judá. Ambos folgavam com a destruição de Judá. Para eles, ver Jerusalém em ruínas e seus muros de proteção no chão era motivo de alegria. Por isso, os dois homens ficaram irados quando ouviram que alguém tinha se disposto a cuidar daquele muro, quando uma pessoa mostrou-se preocupada com a restauração das ruínas. Sambalate e Tobias não gostaram nem um pouco da notícia.

Embora no Antigo Testamento a guerra do povo de Deus pareça ser contra pessoas, ao ler o Novo Testamento entendemos que a verdadeira luta que travamos na vida para fazer a vontade de Deus é contra o reino espiritual. Jesus mesmo declarou: "O ladrão vem apenas para roubar, matar e destruir; eu vim para que tenham vida, e a tenham plenamente" (Jo 10.10). O apóstolo Paulo diz que "a nossa luta não é contra seres humanos, mas contra os poderes e autoridades, contra os dominadores deste mundo de trevas, contra as forças espirituais do mal nas regiões celestiais" (Ef 6.12). Ele estava se referindo a demônios que têm poder sobre regiões determinadas na terra. Biblicamente, somos levados a crer que a intenção de Satanás é destruir toda a obra de Deus, é imitar o Senhor para enganar os que amam a Deus.

O que o Diabo mais quer destruir da obra de Deus somos nós. Porque o ser humano foi feito à imagem e conforme a semelhança do seu Criador. E isso causa ódio nos adversários de Deus. Os anjos não foram feitos assim; nós fomos. E a maior luta dos anjos caídos, os demônios, é destruir a humanidade. Como? Afastando-a de Deus, alegrando-se com as suas ruínas e com o mal que se faz uns aos outros. O fato é que, na hora em que nos levantamos para restaurar qualquer coisa em nossa vida, seja na nossa alma, em nossos relacionamentos, na nossa autoimagem, seja no que for, acontece no mundo espiritual um processo de guerra.

Na hora em que souberam que Neemias sairia da corte persa, em Susã, e iria para Jerusalém a fim de reconstruir os muros, Sambalate, Tobias e outros ficaram irados, porque alguém queria o bem de Israel. De maneira análoga, o Diabo deseja que morramos com os nossos traumas; ele se alegra ao ver famílias destruídas e se regozija ao ver a tristeza e, muitas vezes, o desespero daqueles que não conseguiram fazer as pazes com alguém que acabou partindo. O fato é que tudo o que fizermos para promover qualquer tipo de restauração que agrade o Senhor será alvo de ataques e entraremos em uma guerra no mundo espiritual. Tudo o que nós fizermos para cumprir a vontade de Deus implicará perseguição e guerra. Mas precisamos saber que nossa guerra não é contra pessoas; precisamos interceder por nossos inimigos humanos, mesmo aqueles que são usados pelo próprio Diabo para nos atingir e destruir.

Não confunda a guerra que ocorre nos bastidores espirituais dos processos de restauração de ruínas com um conflito interpessoal. Não é. Pessoas que se levantam contra nós são, muitas vezes, marionetes nas mãos do Diabo. Esse entendimento deve nos levar, sempre, a interceder, especialmente, por aqueles que desejam o nosso mal ou os que lutam para que a restauração não aconteça. Tenha sempre isto em mente: é preciso ter consciência de que, se nos dispusermos a restaurar algo, haverá guerra — e temos de estar atentos a isso.

PARA REFLEXÃO

Pessoas vêm se levantando para combater suas tentativas de restaurar ruínas pessoais, relacionais ou sociais? Como você tem se comportado com relação a elas? À luz do que acabou de ler, será que sua postura tem sido correta?

_____

_____

_____

_____

_____

_____

PRINCÍPIO DA INSPEÇÃO DETALHADA

Detalhes sobre os danos são tão
importantes como as soluções

Neemias sai da Pérsia e empreende uma longa jornada até Jerusalém. Assim que chega, passa três dias descansando, porque naquela época as viagens eram feitas em lombo de animais, algo extremamente cansativo. Provavelmente, ele vai montado em um jumento, ao longo de uma grande área inóspita. Chega a Jerusalém sem fazer alarde e, logo que refaz as energias, sai e caminha ao redor da cidade. Ele faz isso para inspecioná-la, pouco a pouco, a fim de tomar conhecimento da situação geral, detectar os trechos que estão destruídos e verificar exatamente o que precisa ser feito: "De noite saí pela porta do Vale na direção da fonte do Dragão e da porta do Esterco, examinando o muro de Jerusalém que havia sido derrubado e suas portas, que haviam sido destruídas pelo fogo" (Ne 2.13).

Vemos, assim, que Neemias investe um tempo precioso numa inspeção detalhada do que necessita de conserto. O Princípio da inspeção detalhada tem a ver com a coragem de olhar para os reais contornos das nossas ruínas e percebê-las de maneira muito objetiva e precisa. Só ao proceder a um diagnóstico exato é possível trabalhar no sentido de restaurá-las.

Não podemos relativizar problemas complexos. Temos sempre duas maneiras de analisar as coisas: de forma genérica demais ou com atenção aos detalhes. Ao observarmos a atitude de Neemias de efetuar uma inspeção detalhada, vemos que toda restauração eficiente necessita ser resultado de uma visão precisa e exata do problema. Você tem necessariamente de conhecer os detalhes das suas ruínas. É essencial ter noção da profundidade dos seus traumas, quanto eles ainda estão vivos no seu coração, qual é a intensidade do dano que causaram. Para compreender a intensidade da ruína que está enfrentando, não se pode maquiá-la e vê-la apenas de maneira panorâmica.

Há uma íntima relação entre o Princípio da inspeção detalhada e o princípio magno das Escrituras, que é o da verdade. É indispensável conhecer a verdade nua e crua, doa a quem doer, exatamente como ela é. É preciso mergulhar, e não ficar na superfície. Devemos ir fundo e checar, inclusive, nossa confiança em nossa capacidade de discernir as coisas.

O Princípio da inspeção detalhada inevitavelmente leva à dor. Uma coisa foi Neemias ouvir dizer, a distância, da Pérsia, que Jerusalém estava em ruínas. Outra coisa foi ver com os próprios olhos, dar a volta na cidade e calmamente inspecionar cada porta, trecho e pedaço do muro em ruínas. Ele sabia que precisava ter conhecimento dos detalhes para começar a reconstrução, mas, certamente, aquilo tocou fundo o seu coração.

Se você está enfrentando um momento de ruínas em alguma área de sua vida, precisa inspecionar detalhadamente os seus escombros relacionais, pessoais, espirituais e sociais.

Mas fique alerta ao fato de que, possivelmente, sofrerá com aquilo que encontrará pela frente. Antecipe-se a esse sofrimento, sabendo que ele faz parte do processo. Jamais deixe que a dor de encarar o problema prejudique as ações necessárias para solucioná-lo. Acredite: valerá a pena.

Um amigo meu foi informado pelo seu novo contador de que a sua empresa estava com alguns problemas relacionados ao pagamento de tributos. Diante disso, ele pediu que fosse realizada uma auditoria completa e descobriu que havia muitos erros na contabilidade, fruto da desonestidade do antigo contador. Recibos falsos, desvio de recursos, tributos não pagos, leis trabalhistas descumpridas e muitas outras realidades desse nível. Ele entrou em desespero, pois não suportava a dor de ter sido traído por um profissional em quem tanto confiava. Posteriormente, com as emoções refeitas, e com a ajuda do novo escritório, confessou os débitos à Receita Federal e à Receita Estadual, conseguiu parcelar os tributos e as multas, e começou o processo de restauração do seu negócio. Hoje ele é capaz de louvar a Deus por ter feito uma inspeção detalhada de sua empresa, pois, sem ela, nenhum plano de restauração teria sido possível.

Se o Princípio da realidade aponta para a existência de uma ruína, o Princípio da inspeção detalhada analisa essa realidade com precisão cirúrgica e nos ajuda a conhecer a profundidade dos nossos abismos. É um processo doloroso, mas necessário.

PARA REFLEXÃO

Descreva em detalhes quais são os pormenores das ruínas que você precisa restaurar. Em seguida, reflita sobre o que exatamente pretende fazer para reconstruir cada dano de forma específica.

_____

_____

_____

_____

_____

_____

_____

PRINCÍPIO DA VISÃO MOTIVADA

É preciso lembrar constantemente
onde se quer chegar

10

Sem motivação não conseguimos obter nenhuma realização significativa. A motivação funciona como uma mola propulsora, uma força amiga que nos ajuda a chegar aonde os nossos medos e o nosso cansaço nos impedem. Desse modo, desejar restaurar alguma realidade em ruínas não é o bastante. Precisamos ser tomados por uma forte e convincente motivação. E nada como a Palavra e as promessas de Deus para nos motivar a seguir.

Depois que Neemias inspeciona detalhadamente a situação das ruínas que precisa restaurar, ele fala aos judeus, aos sacerdotes, aos nobres, aos oficiais e outros que iriam realizar a obra acerca da situação terrível em que estavam — Jerusalém jazia entre escombros, com brechas nos muros e portas destruídas pelo fogo. Então aquele simples copeiro infla o peito e conclama seus compatriotas a reconstruir os muros de Jerusalém, "para que não fiquemos mais nesta situação humilhante". E, para dar-lhes ânimo, Neemias lhes conta como Deus tinha sido bondoso e permitido que ele conversasse com o rei. Diante disso, aqueles homens se animam a começar a reconstrução. Detalhe: eles não iniciam o trabalho de qualquer maneira, mas, como o texto bíblico relata, "se encheram de coragem para a realização desse bom projeto". Nesse episódio, Neemias revela ser um mestre da motivação. Ele sabe com brilhantismo tirar as pessoas da inércia e colocá-las na rota da restauração.

Acredito que o Espírito Santo age em nós como um motivador. A Bíblia diz que ele intercede em nosso favor diante de Deus, naquilo que não sabemos pedir, quando não sabemos orar e, até mesmo, consertando a nossa oração diante de Deus. É como se dissesse: "Não é isso o que ele precisa dizer; é isto aqui". Assim como o Espírito Santo faz, Neemias foi extremamente motivador, o que é essencial para quem se dedica a restaurar ruínas.

Motivação é algo muito importante, por isso é fundamental conseguir se motivar e motivar o outro à reconstrução. Uma das atitudes que mais nos motivam em alguma reconstrução é tirar os olhos de um *processo* de restauração e focar o *alvo* dela. Um exemplo: Deus prometeu ao povo de Israel, quando estava escravizado no Egito, que restauraria a sua identidade nacional e lhe daria uma terra. Com isso, o Senhor motivou os israelitas a olhar para seu destino final e não para o deserto que teriam de atravessar para chegar lá. Quando focamos muito no processo, desanimamos, porque todo processo de restauração é complexo, doloroso, chato, incômodo. Mas o povo de Israel não queria viver no meio do caminho, no deserto que ligava o local da escravidão à terra prometida. Os israelitas focaram tanto o processo de restauração, e não a restauração em si, que disseram a Moisés diversas vezes que preferiam voltar atrás.

Isso também acontece conosco. Às vezes estamos num processo, por exemplo, de reconciliação com alguém e Deus põe no nosso coração que devemos lutar, orar e nos humilhar, a fim de concretizar esse objetivo. Mas, quando chegamos no meio do caminho e recebemos as primeiras patadas, desejamos nunca ter dado início ao processo. O segredo da motivação é desviar os olhos das lutas do processo e direcioná-los para o alvo da restauração.

Como Neemias motivou seus compatriotas? Ressaltando aonde eles queriam chegar com as tarefas que tinham de cumprir e não enfatizando o esforço e o cansaço provocados pelo trabalho que fariam. Ele não disse que a tarefa seria muito boa porque carregariam muitas pedras pesadas, mas destacou que sairiam daquela situação humilhante graças à reconstrução do muro de Jerusalém. Diante disso, os demais concordaram, porque aquele muro reconstruído implicaria segurança, honra e proteção. Se Deus põe você em um processo de restauração, não se concentre tanto nas dores do processo, mas olhe para o alvo, para o fim. E ore assim: "Senhor, eu não sei como tudo acontecerá, o processo me parece muito difícil, mas creio que, no final, tudo dará certo, porque todas as coisas cooperam para o bem daqueles que te amam. Eu não sei como, mas tu me guiarás, pois creio que tens algo maravilhoso a fazer, ainda que eu não saiba como".

Além de tudo isso, lembre-se de que a motivação tem prazo de validade. Por isso precisamos buscar em Deus uma contínua renovação daquilo que nos impulsiona a seguir. Acerca disso, o palestrante motivacional e escritor Zig Ziglar nos ensina: "As pessoas costumam dizer que a motivação não dura sempre. Bem, nem o efeito do banho, por isso recomenda-se diariamente". Desse modo, devemos desejar que o nosso andar diário com Deus seja a fonte mais sublime de motivação para reconstruirmos as ruínas que nos cercam.

PARA REFLEXÃO

Faça uma avaliação do projeto de restauração a que você está se dedicando. Verifique se está se sentindo motivado e, caso perceba que o desânimo está prevalecendo, liste os alvos que deseja alcançar.

_____

_____

_____

_____

_____

_____

_____

PRINCÍPIO DA FÉ INABALÁVEL

Conte com o maior dos aliados

11

Neemias faz tudo o que está ao seu alcance para que a restauração dos muros de Jerusalém seja bem-sucedida. Mas é fundamental prestarmos atenção a um detalhe que faz toda a diferença: ele não confia na força de seu próprio braço, isto é, não atribui a si mesmo a capacidade de completar sozinho aquela obra. Vejamos, novamente, o que ocorre depois que ele inspeciona detalhadamente aquilo que precisava ser restaurado e motiva as pessoas que o auxiliariam nessa tarefa:

> Quando, porém, Sambalate, o horonita, Tobias, o oficial amonita, e Gesém, o árabe, souberam disso, zombaram de nós, desprezaram-nos e perguntaram: "O que vocês estão fazendo? Estão se rebelando contra o rei?" Eu lhes respondi: O Deus dos céus fará que sejamos bem-sucedidos. Nós, os seus servos, começaremos a reconstrução, mas, no que lhes diz respeito, vocês não têm parte nem direito legal sobre Jerusalém, e em sua história não há nada de memorável que favoreça vocês!
>
> Neemias 2.19-20

Triste é o homem que confia apenas nos seus próprios esforços e feliz é quem entende que, se o Senhor não guarda a cidade, em vão vigia a sentinela. Diante da voz das trevas, emitida pelos lábios daqueles líderes de províncias circunvizinhas, Neemias poderia ter dito que ele tinha autorização do imperador Artaxerxes e que lhe relataria que aqueles homens o estavam oprimindo, usando de sua própria força para tirá-los do seu caminho. Mas não é isso que ele faz. Sua resposta é: "O Deus dos céus fará que sejamos bem-sucedidos".

Esse é o Princípio da fé inabalável. É um princípio grandioso! Se por um lado o maior interessado em nossa ruína é a estrutura caída, diabólica e maligna do mundo espiritual, o Deus da vida quer por outro lado a restauração. Jesus veio para que tenhamos vida, e vida em abundância. Ele quer que nosso coração fique em paz, que andemos de cabeça erguida pela confiança que depositamos nele.

Naquela hora, Neemias olha para o povo, para aquelas intrigas, para os levantes e desestímulos, para seus inimigos, para todo aquele processo incômodo e doloroso por que ele tem de passar e, com muita garra e firmeza, volta-se para seus compatriotas e diz: "O Deus dos céus fará que sejamos bem-sucedidos". O que Neemias faz aqui é seguir o Princípio da fé inabalável, reconhecendo que o sucesso de sua empreitada não depende dele, mas do Deus que o enviou para restaurar a cidade santa. Esse princípio precisa estar sempre vivo em nosso coração.

A Bíblia é um livro que fala essencialmente sobre fé nos planos de um Deus amoroso, que restaura toda a sua criação por intermédio do seu Filho, Jesus. Se não cremos que as promessas de Deus são verdadeiras, negamos o seu amor por nós e o entristecemos. Afinal, sem fé é impossível agradar a Deus (cf. Hb 11.6). Precisamos entender, porém, que a definição bíblica de fé não tem nada a ver com pensamento positivo, em que se coloca a esperança no pensamento, e não em Deus. Não estou dizendo que devemos desconsiderar a importância de vermos a vida por uma perspectiva esperançosa e positiva; mas a verdadeira fé tem relação com a confiança em Deus, em seu caráter irretorquível e em seu amor leal, que nos guia em direção à consumação dos seus planos perfeitos.

Fé inabalável é um princípio fundamental, pois as maiores restaurações que precisamos empreender se referem a questões complexas da vida. São necessidades ligadas a relacionamentos, identidade, autoimagem, casamento e à própria situação de nosso país. Neemias sabe que se dispôs a realizar uma obra de restauração muito difícil e que, se o Senhor não entrar em ação, tudo estará perdido. O mesmo ocorre conosco. Mas Neemias acreditou. Teve fé. E essa fé lhe deu forças para superar todos os obstáculos.

Que Deus fortaleça a nossa fé, a fim de que tenhamos o mesmo comportamento de Neemias em nossos processos de restauração. E, como disse Tomás de Aquino, "Para quem tem fé, nenhuma explicação é necessária; mas, para as pessoas que não têm, nenhuma explicação é possível".

PARA REFLEXÃO

Será que você tem tentado restaurar ruínas exclusivamente pelos seus esforços? Faça uma autoavaliação e identifique se tem recorrido a Deus como deveria, depositando nele a sua fé, reconhecendo que o sucesso de sua empreitada depende dele. Se perceber que está muito independente em suas ações, escreva neste espaço uma oração, em que apresenta ao Senhor a sua dependência dele.

_____

_____

_____

_____

_____

_____

PRINCÍPIO DA SOLIDARIEDADE

Dividindo tarefas com os parceiros da restauração

12

O capítulo 3 do livro de Neemias é daqueles que não provocam muita empolgação no leitor. Alguns até acham um capítulo chato, pois se restringe a mencionar os nomes das pessoas e dos grupos que, liderados por Neemias, tomaram parte na reconstrução dos muros de Jerusalém. Mas, com olhos atentos, fica claro que esse capítulo está cheio de grandes lições sobre o próximo princípio da restauração de ruínas: o Princípio da solidariedade. Logo no início do capítulo, lemos que o sumo sacerdote Eliasibe e os demais sacerdotes começaram o seu trabalho e reconstruíram uma das portas de Jerusalém e um segmento do muro.

> O sumo sacerdote Eliasibe e os seus colegas sacerdotes começaram o seu trabalho e reconstruíram a porta das Ovelhas. Eles a consagraram e colocaram as portas no lugar. Depois construíram o muro até a torre dos Cem, que consagraram, e até a torre de Hananeel. Os homens de Jericó construíram o trecho seguinte, e Zacur, filho de Inri, construiu logo adiante.
>
> Neemias 3.1-2

Que belo exemplo! O mais importante líder religioso de Jerusalém botou, literalmente, a mão na massa para reconstruir os muros de sua cidade. Aquilo certamente foi um grande estímulo para que a solidariedade brotasse no coração das pessoas, em meio às terríveis ruínas. De fato, neste mundo decaído e carente de profundas restaurações, os líderes cristãos devem tomar a dianteira e se debruçar sobre as ruínas que os cercam, dando o primeiro exemplo de renúncia, dedicação e serviço.

Jesus foi o maior líder da História, e deu-nos o maior exemplo de renúncia pessoal em nome do bem alheio. Em uma discussão que surgiu entre os apóstolos, homens que em breve se encarregariam de levar a mensagem do Senhor a todo o mundo e de liderar a Igreja, Jesus fez questão de marcar o coração deles com uma mensagem revolucionária. Diante da polêmica sobre qual apóstolo seria o maior no reino de Deus, o Mestre esclareceu:

> Vocês sabem que os governantes das nações as dominam, e as pessoas importantes exercem poder sobre elas. Não será assim entre vocês. Ao contrário, quem quiser tornar-se importante entre vocês deverá ser servo, e quem quiser ser o primeiro deverá ser escravo; como o Filho do homem, que não veio para ser servido, mas para servir e dar a sua vida em resgate por muitos.
>
> Mateus 20.25-28

Algum tempo depois, quando estavam reunidos para a última ceia, Jesus quebrou mais um vez a lógica humana com relação ao ato de servir, quando, ao lavar os pés dos apóstolos, lhes ensinou: "Vocês me chamam 'Mestre' e 'Senhor', e com razão, pois eu o sou. Pois bem, se eu, sendo

Senhor e Mestre de vocês, lavei-lhe os pés, vocês também devem lavar os pés uns dos outros. Eu lhes dei o exemplo, para que vocês façam como lhes fiz" (Jo 13.13-15).

Do mesmo modo, o sumo sacerdote Eliasibe e os demais sacerdotes de Jerusalém foram os primeiros restauradores citados no livro de Neemias, os primeiros a dar o exemplo de solidariedade que leva à restauração. Por isso, se todos nós formos mais sensíveis ao que se passa ao nosso redor, a graça de Deus revelada e demonstrada por meio da nossa vida correrá como um rio a banhar o solo árido da existência humana — e produzirá a restauração de muitas ruínas pessoais, relacionais e sociais. O cristão deve estar sempre pronto para ajudar quem deseja reconstruir! Essa verdade deve ser mantida firmemente em nosso coração. No caso do muro de Jerusalém, vemos pessoas de diversas profissões e classes sociais empenhadas na reconstrução da cidade. Até habitantes de outras localidades juntaram-se a Neemias nessa grande obra de restauração, em uma clara demonstração da força da solidariedade em qualquer tentativa de transformar sofrimento em alegria e ruínas em beleza.

É possível que você, hoje mesmo, precise dividir com outras pessoas as tarefas da restauração do seu casamento, de uma amizade, de sua trajetória profissional ou de qualquer outra área da vida. Não tenha medo de compartilhar as suas dores, nem se esconda em meio aos escombros da sua existência. O Deus todo-poderoso pode usar outras pessoas para ajudá-lo a reconstruir sonhos destruídos e projetos arruinados. Neemias demonstrou humildade ao pedir ajuda a muita gente, vencendo o orgulho e a ilusão da autossuficiência.

Vivi de forma muito concreta o Princípio da solidariedade em minha vida anos atrás. Durante muito tempo, cultivei no coração o plano de passar minha vida inteira auxiliando algum líder, pois eu entendia que a titularidade em uma igreja batista poderia atrapalhar os meus planos profissionais na área jurídica. Mas nossos projetos pessoais sempre estão sujeitos aos projetos de Deus, por isso, após quase dez anos servindo a Deus na Primeira Igreja Batista de João Pessoa — inicialmente, como professor de Escola Bíblica e, depois, como pastor de jovens —, algo inusitado e inesperado aconteceu, o que provocou uma mistura de empolgação e assombro.

Após aceitar o desafio de ser o pastor titular de uma pequena igreja batista, plantada pela minha igreja anterior, vivi situações que me levaram a desejar construir um centro de reabilitação para dependentes químicos, com uma abordagem cristã de restauração integral. Nessa busca, encontrei uma propriedade à venda às margens da rodovia BR-101, no trecho que liga João Pessoa a Recife. Entrei em contato com o proprietário da área e logo começamos as negociações. Em nosso primeiro encontro, fui surpreendido quando ele disse que a parte da terra que eu conseguia enxergar da rodovia era quase nada em relação ao seu tamanho total. Não era apenas um grande terreno, como pensei a princípio, mas, sim, uma fazenda de quase 150 hectares, com rio, florestas, vales e montes — um sonho cravado na região metropolitana de João Pessoa. Como uma pequena igreja, com pouco mais de 150 pessoas, poderia comprar uma terra tão grande, se mal arrecadava dinheiro para pagar o aluguel do seu pequeno espaço de celebrações e demais despesas cotidianas?

Surgiu ali o projeto Cidade Viva, que tinha como objetivo transformar aquela grande fazenda em uma pequena "cidade", dividida em áreas voltadas ao atendimento de inúmeras necessidades de ordem social, emocional e espiritual — um lugar onde pudéssemos não só cuidar de dependentes químicos, mas também de outras pessoas que estivessem enfrentando algum tipo de vulnerabilidade ou que precisassem de restauração em determinada área da vida. Assim, definimos um plano inicial, que previa a construção de um centro de reabilitação; um abrigo para idosos; escolas; áreas de lazer e esporte; praças; centro de profissionalização de jovens carentes; capela; auditórios; alojamentos; locais para acampamentos, retiros, conferências e apresentações culturais; além de outros equipamentos comunitários. Cada setor foi idealizado tendo como ponto de conexão e inspiração o desejo de ver a restauração acontecer de maneira integral na vida das pessoas.

Após as primeiras negociações com o proprietário da fazenda e antes de assinarmos o contrato de compra, escolhi uma celebração dominical para apresentar o sonho à nossa comunidade e obter dela a autorização e o apoio para cometer aquela "insanidade". Foi uma noite memorável, repleta de olhos arregalados e lágrimas de emoção. Afinal, participar de um sonho daquela magnitude soava como poesia nos ouvidos dos presentes. Mas percebemos, desde o princípio, que precisaríamos de muito desprendimento para levantar os recursos necessários para pagar o terreno, além de centenas de voluntários que se dispusessem a ajudar o próximo naquele projeto. Em uma noite de domingo, em 2004, Deus começou a nos ensinar o valor da solidariedade, para que pudéssemos começar a mudar o mundo ao nosso redor, à medida que nos tornássemos instrumentos nas mãos dele.

Conversei com minha esposa e chegamos à conclusão de que deveríamos doar o nosso carro para a igreja, pois precisávamos ser os primeiros a dar exemplo de renúncia a fim de que a compra da terra fosse possível e o sonho saísse do papel. Foi uma noite memorável! Mais dois carros foram doados, além de terrenos, joias, obras de arte e dinheiro. Desde os mais novos até os mais velhos foram tomados pela grande alegria de poder investir em outras pessoas. A partir daquele dia, entendemos que as nossas contribuições para o avanço do reino de Deus não são como investimentos em que esperamos retorno financeiro, mas como um privilégio que o Senhor nos dá de participar dos seus misteriosos planos de restauração das ruínas deste mundo.

Hoje, a Cidade Viva é uma realidade e reúne mais de cinco mil pessoas em suas celebrações. O terreno já foi quitado e alguns equipamentos foram construídos. Outras áreas estão em pleno processo de construção. Enquanto isso, a nossa comunidade está presente em oito dos doze abrigos de crianças de João Pessoa, incentivando apadrinhamentos e adoções. Cuidamos de moradores de rua, ministramos aos enfermos em hospitais, contamos com um trabalho permanente de apoio jurídico, médico e odontológico em dois presídios da cidade e acompanhamos adolescentes infratores em instituições que aplicam medidas socioeducativas. Sem falar que já reinserimos dezenas de egressos do sistema prisional no mercado de trabalho, tratamos de centenas de dependentes químicos e possuímos projetos de restauração integral em favelas e na zona rural da Paraíba. Tudo isso por causa da amorosa solidariedade de mais de mil voluntários dedicados a transformar ruínas de vários tipos em lindos monumentos para a glória de Deus.

PARA REFLEXÃO

Pense cuidadosamente sobre até que ponto você tem sido solidário no processo de restauração das ruínas do seu próximo. Se perceber que não tem se envolvido suficientemente na ajuda às necessidades dos demais, liste que ações você poderia fazer de imediato para contribuir na reconstrução da vida de alguém que você conhece.

PRINCÍPIO DA RESISTÊNCIA

Enfrentando os inimigos da restauração

13

Embora Neemias e seus companheiros estejam totalmente focados no projeto de restauração dos muros da cidade, não faltam inimigos que se ponham no meio do caminho, para impedir a consumação dos planos de Deus. De fato, Neemias teve de resistir a muitos ataques morais, além de constantes e aterrorizantes ameaças, vindas de líderes de povos vizinhos, especialmente Sambalate e Tobias, cuja presença nefasta acompanhou o copeiro de Artaxerxes durante todas as fases da reconstrução, na tentativa de fazê-lo desistir (cf. Ne 1.10; 2.19; 4.1-3; 6.1-14).

Quando Sambalate soube que estávamos reconstruindo o muro, ficou furioso. Ridicularizou os judeus e, na presença de seus compatriotas e dos poderosos de Samaria, disse: "O que aqueles frágeis judeus estão fazendo? Será que vão restaurar o seu muro? Irão oferecer sacrifícios? Irão terminar a obra num só dia? Será que vão conseguir ressuscitar pedras de construção daqueles montes de entulho e de pedras queimadas?" Tobias, o amonita, que estava ao seu lado, completou: "Pois

Princípio da resistência 107

que construam! Basta que uma raposa suba lá, para que esse muro de pedras desabe!"

Neemias 4.1-3

As circunstâncias adversas, recheadas de momentos de tensão, agonia e angústia, não são capazes de intimidar Neemias; antes, o fazem continuar trabalhando, pois ele não quer ver sucumbir o seu sonho de restauração. Já falamos sobre o Princípio da guerra: o Inimigo não se contenta em ver ruínas se transformando em palcos gloriosos para o agir restaurador de Deus. Com Neemias não poderia ser diferente, pois a reconstrução dos muros de Jerusalém seria o prenúncio de um novo e glorioso tempo na história da cidade santa, especialmente porque a sua restauração transmitia uma mensagem muito clara para os outros povos: a cidade voltava a ter prestígio, especialmente por poder, mais uma vez, se defender dos ataques dos que desejavam ver a sua eterna ruína. Resistência é, portanto, a virtude dos que não param diante das vozes contrárias — e Neemias soube muito bem lidar com essa questão.

Na nossa vida não é diferente. Sonhos de restauração incomodam as trevas e resistir às ameaças que vêm de todos os lados é condição necessária para o sucesso de qualquer grande empreitada. Neemias ouvia constantemente vozes contrárias que vinham dos inimigos, na tentativa de paralisar a reconstrução do muro, mas foi resistindo de cabeça erguida que ele alcançou o que Deus plantou no seu coração. Assim é conosco. Temos de lutar, chorar, sofrer, sentir as dores inerentes aos processos de restauração, mas, sempre, resistir até que o plano se concretize e o sonho se torne realidade.

A Bíblia está repleta de passagens a respeito do Princípio da resistência. Em seu ministério terreno, Jesus enfrentou oposição durante toda a sua jornada em direção ao Calvário.

108 Gloriosas ruínas

Sabendo que a morte de Cristo na cruz fora o caminho que Deus escolhera para restaurar toda a criação, Satanás tentou a todo custo desviá-lo de sua missão (Lc 4.1-12). A tentação de Jesus no deserto foi uma das mais ardilosas estratégias de oposição visando a impedir a obra que o Pai dera ao Filho para completar. Desse modo, embora Jesus tenha resistido firmemente até o fim das tentações no deserto, a Bíblia relata que o Diabo o deixou até ocasião oportuna (Lc 4.13), para mostrar que as oposições aos projetos de restauração de Deus para nossa vida são fortes e contínuas e exigem de nós uma brava e constante resistência.

Depois de lançar o projeto Cidade Viva e de arrecadarmos, em apenas sessenta dias, 20% do valor total da propriedade — porcentagem que serviria de entrada para a assinatura do contrato de compra —, todas as nossas fontes de recursos pareciam ter se exaurido. Éramos uma comunidade muito pequena para o tamanho do projeto e grande parte dos membros e frequentadores da igreja não tinha muita receita. À medida que se aproximava o dia do pagamento de uma das parcelas, meu coração apertava. Percebi que só por meio de um milagre poderíamos levantar aquele dinheiro em tão pouco tempo. Foi quando as vozes contrárias começaram a se levantar.

Ouvi coisas terríveis sobre o projeto Cidade Viva. Fui chamado de megalomaníaco, aventureiro, irresponsável e inconsequente. Alguns colegas chegaram a mencionar que eu estava prestes a destruir meu ministério pastoral com aquele projeto louco, pois nem sequer conseguiríamos pagar as prestações. Foi um tempo terrível! Minha alma ficou pesada e por algumas vezes eu quis acreditar que as vozes estavam certas e eu, completamente equivocado. Começou ali um grande pesadelo para mim e minha esposa. Resistir ou desistir? Percebi, contudo, que a nossa experiência tinha algumas semelhanças com o que Neemias experimentou e o Senhor trouxe à minha mente os desafios pelos quais aquele grande líder passou. Quando Sambalate e Tobias ouviram que o projeto de reconstrução dos muros de Jerusalém tinha sido divulgado entre os judeus, começaram a lançar farpas cheias de veneno. Os ataques foram tantos que muitos no lugar de Neemias teriam sucumbido.

Após uma noite difícil e me vendo cercado por tantas dificuldades, acordei sem ânimo, mas confiante que Deus faria algo. Resolvi confiar em sua soberania. No final da tarde daquele mesmo dia, eu estava na sede da nossa igreja quando fui avisado de que um homem desejava falar comigo. Confesso que tudo o que eu não queria naquele dia era aconselhar quem quer que fosse, pois sentia-me frustrado, com medo e muito chateado com toda aquela situação, que colocava em risco o que eu achava se tratar de um plano de Deus.

Sem muito o que dizer, atendi aquele irmão na minha sala e comecei a ouvi-lo. Após algum tempo, percebi que ele queria fazer uma doação para o projeto Cidade Viva, mas não entendi direito do que se tratava. Foi quando ele explicou que havia construído um condomínio de casas e, dos lotes disponíveis, desejava doar três unidades. Em um primeiro momento eu fiquei perplexo e sem acreditar. Ele disse que a doação já estava disponível e que poderíamos negociar os imóveis para pagar a prestação. O curioso e glorioso é que o valor de venda dos três lotes era precisamente o que precisávamos para pagar aquela prestação. As lágrimas foram inevitáveis naquela hora, principalmente porque o próprio doador dos imóveis não tinha ideia do drama pelo qual estávamos passando.

Que momento glorioso! De fato, a vitória é dos que resistem até o fim, pois nenhuma grande obra de Deus acontecerá na nossa vida sem grandes oposições. Por isso, o Princípio da resistência é imprescindível para alcançarmos a restauração das ruínas que nos cercam — ruínas que, aos olhos de Deus, são gloriosas oportunidades para o seu agir.

Em nossas experiências como instrumentos de restauração nas mãos de Deus, não faltarão aqueles que nos desestimularão a prosseguir ao ver no nosso semblante as marcas do cansaço, as feridas que foram abertas no processo, o medo diante do desconhecido ou até mesmo a evidente "insensatez" dos nossos planos. É exatamente nesse momento que a resistência precisa brotar dentro de nós, ainda que tenhamos de confrontar com carinho e firmeza aqueles que tentam nos proteger de dores e dissabores. No mesmo sentido, entendendo as dinâmicas da vida espiritual, Tiago adverte-nos de que devemos nos sujeitar a Deus e resistir ao Diabo para que ele fuja de nós (Tg 4.7). Esse ensino bíblico mostra que a resistência deve ser uma constante na vida dos que querem ver a restauração dar forma às desfiguradas ruínas da nossa existência.

Nos últimos dez anos do projeto Cidade Viva, tenho testemunhado a força e a coragem de homens e mulheres que, em sua busca por restauração, têm enfrentado grandes oposições: desde dependentes químicos que têm vivido um dia de cada vez, resistindo aos convites de "amigos" para voltar a consumir substâncias destruidoras, até homens e mulheres que cumpriram pena em algum presídio e vivem a constante experiência de resistir às propostas de ganho "fácil" que vêm do submundo da criminalidade. Sem falar naqueles que lutam para restaurar um casamento disfuncional e precisam conviver constantemente com os fantasmas do passado em uma atitude de contínua resistência. Também não poderia deixar de mencionar os valiosos voluntários da Cidade Viva, que continuam acreditando que são promotores da restauração, instrumentos valiosos nas mãos do grande Restaurador, verdadeiros heróis da resistência.

Restaurar nem sempre é um processo prazeroso. Entretanto, o que não pode sair da nossa mente é que grandes projetos de vida são seguidos de grandes oposições e requerem contínua e firme resistência. Por isso, mude as estratégias, mas não desista diante do que assusta, enfraquece, humilha ou provoca desânimo. Como disse Martin Luther King, "Se você não pode voar, então corra; se não pode correr, então ande; se não pode andar, então rasteje; mas, em qualquer circunstância, continue seguindo em frente". Isso foi o que Neemias fez diante das insanas e diabólicas ameaças de seus opositores, pois entendeu, desde o início, que resistir não é uma mera opção, mas um dos mais importantes princípios que regem um memorável processo de restauração.

> **PARA REFLEXÃO**
>
> Quando você tem convicção de que está no caminho certo em um processo de restauração, mas enfrenta oposição, qual costuma ser sua atitude? Você se deixa abater e, até mesmo, desistir, ou resiste e vai adiante? O que precisa mudar nesse aspecto?

PRINCÍPIO DA ORAÇÃO

Quando o nosso agir não é o bastante

14

Dentre os muitos atributos que qualificam a vida de Neemias, um deles é evidente: aquele foi um homem de oração. Seu compromisso em manter um canal aberto de comunicação com Deus funcionou como uma fonte inesgotável de vigor, coragem, resiliência e fé. De fato, é muito difícil vencer as batalhas da restauração sem a arma da oração. Neemias soube usá-la, por isso foi bem-sucedido. Logo após receber a notícia de que Jerusalém está em ruínas e com os muros totalmente destruídos, Neemias dedica-se à oração e ao jejum. Ele sabe que, por mais boa vontade que tenha, a batalha precisa começar a ser vencida na dimensão espiritual; por isso, ele nunca deixa de lado a importância desse recurso tão poderoso.

Encontramos Neemias orando em diferentes ocasiões no processo de restauração de sua cidade: quando recebe notícias sobre a situação deplorável pela qual Jerusalém passa (Ne 1.4-11), antes de pedir ao rei Artaxerxes autorização para viajar até a cidade santa e reconstruí-la (Ne 2.4), quando os inimigos zombam dele e põem em dúvida as reais possibilidades de uma restauração dos muros da cidade (Ne 4.4-5), durante uma grande tentativa de intimidação por parte dos seus opositores (Ne 6.9), por ocasião de uma confissão coletiva dos pecados do povo de Israel (Ne 9) e durante as últimas reformas políticas, sociais e religiosas realizadas após a reconstrução dos muros (Ne 13.14,22,29). Como se vê, Neemias dedica-se à oração antes, durante e depois da reconstrução dos muros de Jerusalém. A sua atitude, sem dúvida, faz grande diferença em todo aquele doloroso e intrincado processo de restauração. Ele sabe, desde o início, que Deus é o seu maior aliado e interessado em ver Jerusalém reedificada. Por essa razão, ele assimila a convicção de tão grande privilégio e segue sem temor.

Muitas vezes só lançamos mão da oração quando nos sentimos fracos e necessitados, como se orar fosse o último recurso de que dispomos em nossas lutas diárias. Isso é um enorme engano! Precisamos entender que a oração não deve ser vista como o que nos resta quando tudo o mais falta, mas como tudo o que temos, mesmo quando achamos que estamos total e completamente supridos. Afinal, oração é comunicação com o Senhor e não há relacionamento verdadeiro com Deus quando não nos comunicamos com ele. De fato, é muito difícil desenvolvermos relacionamentos interpessoais fortes e profundos sem muitas e contínuas horas de conversa, confissão e encorajamento.

Desde o relato da criação da humanidade, vemos quanto Deus já valorizava um contínuo relacionamento com os seus filhos, a ponto de comunicar-se com eles com frequência (Gn 3.8). E, mesmo após o pecado ter manchado a criação original, Deus continuou se revelando a diferentes pessoas na História, escolhendo-as para expressar o seu amor e a sua misericórdia, tomando a iniciativa em um processo relacional

116 Gloriosas ruínas

bendito e frutífero, no qual a oração sempre ocupou um papel central na vida dos que foram tocados pelo Senhor.

A Bíblia contém centenas de orações feitas por homens e mulheres comuns e imperfeitos como nós. Isso, por si só, já deveria servir de incentivo para o desenvolvimento pessoal de uma vida de oração. Do primeiro ao último livro das Escrituras, é possível perceber o grande papel da oração na narrativa bíblica — na forma de confissão, intercessão, louvor e júbilo. Por meio da oração, promessas foram alcançadas; territórios, conquistados; enfermos, curados; oprimidos, libertos; e verdades eternas, reveladas. Quando oramos, conversamos com o Senhor da História, o Todo-poderoso, o Onipotente, o Criador, o grande Restaurador de corações, relacionamentos e da sociedade. Neemias foi um dos heróis da Bíblia que mais experimentaram as bênçãos advindas da oração, na forma de força, vigor, vitória e restauração. Todos eles vindos das bondosas mãos do Senhor.

No início do seu ministério, e por ocasião do Sermão do Monte, Jesus confrontou os líderes religiosos do seu tempo e explicou com simplicidade como deve ser a nossa vida de oração.

> E quando vocês orarem, não sejam como os hipócritas. Eles gostam de ficar orando em pé nas sinagogas e nas esquinas, a fim de serem vistos pelos outros. Eu lhes asseguro que eles já receberam sua plena recompensa. Mas quando você orar, vá para seu quarto, feche a porta e ore a seu Pai, que está em secreto. Então seu Pai, que vê em secreto, o recompensará. E quando orarem, não fiquem sempre repetindo a mesma coisa, como fazem os pagãos. Eles pensam que por muito falarem serão ouvidos. Não sejam iguais a eles, porque o seu Pai sabe do que vocês precisam, antes mesmo de o pedirem.
>
> Mateus 6.5-8

A primeira lição que Jesus nos dá é que a oração não deve ser feita para alcançarmos o reconhecimento das pessoas. De fato, pela necessidade de aprovação pública e no afã de demonstrar a sua vã espiritualidade, os hipócritas vestiam máscaras de religiosidade e se davam a apoteóticas teatralizações, por meio de orações exibicionistas, mas vazias de verdade. Jesus nos ensina que não precisamos encontrar nos outros a aprovação da nossa fé e devoção a Deus. Ele mostra que é inútil tornar a nossa vida de oração um espetáculo público, à procura de admiradores.

Em outras palavras, a oração que precisamos cultivar deve ser uma expressão de verdade, transparência e contrição. Não é que Jesus esteja aqui condenando a oração coletiva ou dirigida por alguém em uma celebração pública, mas aquela que não passa de um pequeno espetáculo de espiritualidade vazia, em busca de aplausos. E é por isso que ele fala sobre irmos ao nosso quarto, o espaço secreto em que somos quem de fato somos, onde não há ninguém que precisemos enganar e onde o espelho é a nossa mais clara testemunha.

O quarto representa o lugar onde não precisamos mais usar máscaras, onde podemos chorar quando isso for o que Deus espera de nós e sorrir quando o sorriso for a expressão mais óbvia do que se passa em nosso coração. Jesus afirma que a oração é uma forma de nos relacionarmos com um Deus que não se engana a nosso respeito, que sabe quem mora do outro lado das máscaras e que não precisa de explicações para saber quem nós somos por completo. Afinal, ele nos criou e nos conhece com perfeição. Nossa vida de oração deve ser uma linda oportunidade de deixarmos fluir quem de fato somos diante de um Deus amoroso que nos fez para a sua glória. Esqueçamos, pois, a plateia e olhemos apenas para o Senhor da nossa vida, que nos guia e corrige.

Além da transparência, outra característica da oração que agrada a Deus é a confiança. Assim, quando oramos, ele deseja que confiemos nele e não nas nossas próprias palavras. Aqui ele sai do contexto religioso do judaísmo, quando falou dos hipócritas, e adentra no imaginário pagão do seu tempo, ao nos dar a lição: "E quando orarem, não fiquem sempre repetindo a mesma coisa, como fazem os pagãos. Eles pensam que por muito falarem serão ouvidos. Não sejam iguais a eles, porque o seu Pai sabe do que vocês precisam, antes mesmo de o pedirem".

No tempo de Jesus, as orações repetidas eram usadas pelos adeptos das religiões greco-romanas com o objetivo de incomodar os seus deuses e, assim, receber o que pediam. A ideia reinante naquela época era que os sacerdotes precisavam recitar e repetir as palavras corretamente a fim de alcançar a resposta das suas divindades. A forma e o palavreado eram vistos como tão importantes que um simples erro na verbalização da oração poderia prejudicar o resultado dela. Como fórmulas "mágicas", estavam sujeitas aos rigores procedimentais da própria magia. Jesus explica que Deus, no entanto, já sabe tudo o que precisamos antes mesmo que abramos a boca. Por isso, o que ele espera dos seus seguidores, quando oram, é a confiança no seu amor leal, e não na forma, no tamanho, na métrica ou na estética da oração. Orar é, portanto, uma arma que Deus nos concede e que precisa ser utilizada com transparência e confiança, em que a singeleza, a humildade e o desejo de relacionamento se fazem mais importantes do que a forma e, até mesmo, do que os resultados da oração.

O Deus da restauração nos convida a uma vida de fé e recomeços, na qual nossa obediência, aliada ao poder dele, nos levará a reconstruir os muros da vida pessoal, relacional e social. Não podemos esquecer, contudo, que somos limitados na percepção das nossas realidades e, muitas vezes, não sabemos de que maneira ou em que direção devemos orar a Deus. Queremos ver a restauração acontecer em nossa alma, em nossos relacionamentos e no mundo onde vivemos, mas, muitas vezes, nos faltam palavras e nos sobram lágrimas. O que fazer quando estamos fracos e não sabemos nem o que dizer ou pedir ao Senhor?

A Bíblia nos ensina que somos fracos e limitados na capacidade de compreender os mistérios da vida. Por isso, por conhecer plenamente essas limitações, Deus nos concede o Espírito Santo, que nos ajuda em nossa fraqueza e intercede por nós da maneira que convém: "Da mesma forma o Espírito nos ajuda em nossa fraqueza, pois não sabemos como orar, mas o próprio Espírito intercede por nós com gemidos inexprimíveis. E aquele que sonda os corações conhece a intenção do Espírito, porque o Espírito intercede pelos santos de acordo com a vontade de Deus" (Rm 8.26-27). Que maravilha! O convite que recebemos de Deus implica uma relação leve, amorosa e regada a transparência e confiança. Aproveitemos essa grande oportunidade, porque a morte e a ressurreição de Cristo nos deram acesso ao trono de Deus, possibilitando, assim, uma relação plena e sem intermediários.

Orar a Deus é um presente que ele mesmo nos deu e não um produto que se compra no mercado religioso. Uma vida de oração é um sinal de espiritualidade genuína, além de ser um privilégio que não podemos terceirizar. Pessoas que nos amam podem até interceder por nós diante de Deus, mas nunca serão capazes de transferir as experiências que elas mesmas tiveram na presença do Pai eterno, porque essas experiências são pessoais e intransferíveis. Podemos até alcançar graças por meio das orações de amigos e familiares, mas nunca saberemos o que de fato significa um relacionamento profundo com o Deus da vida se não dobrarmos os nossos joelhos, se não chorarmos as nossas lágrimas e se não percebermos, por experiência, a sua doce e inabalável presença em cada passo dessa aventura chamada vida.

Neemias possuía armas que os inimigos não conseguiam enxergar, um arsenal imbatível que os opositores não tinham como contemplar. Ele sabia que, para além do esforço, da dedicação e do duro trabalho de restauração dos muros de Jerusalém, havia uma guerra a ser vencida nas dimensões espirituais. O Deus de Neemias era o centro de sua confiança e a fonte do seu vigor. Aquele homem confiou no seu Senhor, orou, trabalhou e venceu. Não deixe a excessiva autoconfiança fazer você sucumbir diante das ruínas da vida. Seja humilde e dedique-se à oração! Se restaurar é preciso, orar é imprescindível!

PARA REFLEXÃO

Como tem sido a sua vida de oração? Quanto tempo por semana você dedica ao diálogo com Deus? Se perceber que tem se esquecido de priorizar os momentos de intimidade com o Senhor, o que poderia mudar em sua rotina, em termos práticos, para ter mais momentos de dedicação a Deus?

PRINCÍPIO DA PERSISTÊNCIA

A restauração não é um ato, mas um processo

15

O capítulo 4 de Neemias mostra que a decisão de restaurar os muros de Jerusalém despertou imediatamente uma forte oposição, como já demonstrou o Princípio da guerra. Na hora que alguém decidiu se levantar da cadeira e reconstruir os muros, começou um levante de pessoas interessadas em evitar que a obra fosse adiante. De igual modo, tudo o que você fizer para cumprir a vontade de Deus vai sofrer oposição, porque o inimigo da nossa alma não quer a reconstrução, a renovação. Os adversários de Neemias foram, igualmente, muito proativos em desestimular o processo de reconstrução.

> Quando Sambalate soube que estávamos reconstruindo o muro, ficou furioso. Ridicularizou os judeus e, na presença de seus compatriotas e dos poderosos de Samaria, disse: "O que aqueles frágeis judeus estão fazendo? Será que vão restaurar o seu muro? Irão oferecer sacrifícios? Irão terminar a obra num só dia? Será que vão conseguir ressuscitar pedras de construção daqueles montes de entulho e de pedras queimadas?"
>
> Neemias 4.1-2

Como andam os seus processos pessoais, os seus relacionamentos, as questões que Deus está apontando e sinalizando que você precisa levar adiante? Como você tem enfrentado no seu cotidiano as oposições quando deseja estabelecer em sua vida a vontade do Senhor? No caso de Neemias, vemos que, depois de sofrer oposição, ele orou a Deus e disse o que estava acontecendo, que ele e o povo estavam sendo desprezados, e pediu providências. E, em seguida, não esmoreceu: persistiu e continuou a restauração do muro.

> Nesse meio tempo fomos reconstruindo o muro, até que em toda a sua extensão chegamos à metade da sua altura, pois o povo estava totalmente dedicado ao trabalho. Quando, porém, Sambalate, Tobias, os árabes, os amonitas e os homens de Asdode souberam que os reparos nos muros de Jerusalém tinham avançado e que as brechas estavam sendo fechadas, ficaram furiosos.
>
> Neemias 4.6-7

Todas as vezes que fechamos as brechas da nossa vida, as forças espirituais do mal se enfurecem contra nós, porque Satanás não quer que isso ocorra; ele quer fragilidade, ele ambiciona ver pontos vulneráveis em nossa caminhada. Isso acontece porque, quanto maior a fragilidade, maior a facilidade de ele nos destruir e nos desviar dos planos de Deus. Se deixamos brechas abertas, a possibilidade de que aquilo que Deus quer fazer em nossa vida sofra sabotagens é muito maior.

Por saber que brechas nos deixam vulneráveis, os israelitas começam a construir o muro com afinco, até chegar à metade da altura. Mas, quando seus inimigos percebem que eles estão sendo bem-sucedidos, redobram a oposição e usam estratégias de ataque cada vez mais ferozes.

Todos juntos planejaram atacar Jerusalém e causar confusão. Mas nós oramos ao nosso Deus e colocamos guardas de dia e de noite para proteger-nos deles. Enquanto isso, o povo de Judá começou a dizer: "Os trabalhadores já não têm mais forças e ainda há muito entulho. Por nós mesmos não conseguiremos reconstruir o muro".

Neemias 4.8-10

Vamos refletir sobre um aparente paradoxo apontado pelo texto que acabamos de ler. No versículo 6, Neemias informa que os israelitas estão profundamente motivados e, por causa disso, eles chegaram rapidamente à altura da metade do muro. Mas, no versículo 10, depois das zombarias e dos planos maquinados pelos inimigos para destruir os judeus, fica claro que houve um arrefecimento, um esfriamento daquele ânimo que antes estava extremamente firme. Neemias relata com riqueza de detalhes que aqueles homens que estavam motivados e que chegaram à metade do muro em todo o perímetro da cidade começaram a se cansar e se sentir sobrecarregados. Ao se darem conta das dimensões da obra, começaram a dar sinais de que desejavam desistir e abandonar o projeto.

Isso remete ao Princípio da persistência. Esse princípio mostra que a vitória, na esmagadora maioria das vezes, é dos que persistem, dos que perseveram, dos que vão até o fim, e não daqueles que param no meio do caminho. O "meio do muro", a meu ver, é uma síndrome que abate a maioria das pessoas que se encontram envolvidas com um processo de restauração, pois tendemos a parar no meio daquilo que fazemos e não conseguimos concluir muitas coisas a que nos propomos na vida por falta de persistência.

O juiz federal e escritor William Douglas conta uma história muito significativa com relação a isso. Ele era uma pessoa

Princípio da persistência **125**

extremamente descuidada com a saúde, até que chegou o momento em que estabeleceu que não só iria emagrecer, mas que iria correr uma maratona. Pelo que ele conta, na corrida havia cerca de 250 participantes e ele tirou o penúltimo lugar. Em geral, quando diz isso, todo mundo ri. Mas, então, ele completa: "Só tem um detalhe: vocês nunca correram uma maratona e eu terminei a maratona. Vocês nunca terminaram a maratona, a maioria de vocês nunca terminou a maratona". Isso fala da persistência no curso da vida. Quem não persiste, não conquista. A persistência é, portanto, uma virtude e um princípio de restauração. Nós temos de persistir especialmente quando queremos parar, quando o circo se arma para nos afastar do cumprimento da vontade de Deus. O que está no meio do caminho em sua vida? O que precisa ser concluído? Qual é o processo que você está tentado a abandonar, mas o Senhor sinaliza que é para você progredir, persistir, insistir e continuar?

O relato de Neemias prossegue:

E os nossos inimigos diziam: "Antes que descubram qualquer coisa ou nos vejam, estaremos bem ali no meio deles; vamos matá-los e acabar com o trabalho deles". Os judeus que moravam perto deles dez vezes nos preveniram: "Para onde quer que vocês se virarem, saibam que seremos atacados de todos os lados". Por isso posicionei alguns do povo atrás dos pontos mais baixos do muro, nos lugares abertos, divididos por famílias, armados de espadas, lanças e arcos. Fiz uma rápida inspeção e imediatamente disse aos nobres, aos oficiais e ao restante do povo: Não tenham medo deles. Lembrem-se de que o SENHOR é grande e temível, e lutem por seus irmãos, por seus filhos e por suas filhas, por suas mulheres e por suas casas.

Neemias 4.11-14

Se um líder chega para o seu povo e diz "Não tenham medo", é porque, naturalmente, as pessoas estavam com medo. O medo é outra variável em nossa vida que pode nos paralisar, por isso a persistência sempre caminha de mãos dadas com a coragem. Eu costumo dividir os temores em "medo positivo" e o que eu chamaria de "medo patológico". O medo positivo é aquele que evita que você caia de um lugar alto que esteja sem proteção, um estado de espírito próprio do processo instintivo de preservação da vida. Nossos filhos precisam ter medo positivo, para que não atravessem a rua sem olhar o sinal, por exemplo. Nós devemos ter medo da altura, para que não nos aproximemos indevidamente de lugares onde não precisamos estar. Temos de criar conceitos de proteção e dizer: "Cuidado com a água! Você não sabe nadar e pode se afogar". Esse tipo de medo é positivo, pois ele constrói a nossa vida. Geralmente acidentes inesperados acontecem com aeronaves ou automóveis por falha humana quando há excesso de autoconfiança e quando o piloto deixa de ter esse "medo positivo".

Neemias está falando de outro medo. Ele se refere ao que chamo de medo patológico, que é um estado de temor tão severo que faz que fiquemos paralisados. Esse é o medo que leva o povo de Judá a desejar parar de reconstruir os muros. Foram muitos medos juntos: medo dos ataques, medo dos levantes, medo dos insultos, medo da guerra, medo do que o inimigo poderia fazer com eles se continuassem a persistir na construção do muro.

Deus, porém, diz aos israelitas, por intermédio de Neemias, que eles não deveriam ter medo. Para isso, precisavam se lembrar de que o Senhor é grande e temível, é maior que os inimigos, é mais poderoso que os problemas, é mais capaz que as adversidades, é mais grandioso que os insultos.

De igual modo, Deus nos tranquiliza: não tenha medo. Não deixe que o medo paralise você. Quando Moisés morreu, o Senhor escolheu Josué como sucessor e disse a ele:

> Meu servo Moisés está morto. Agora, pois, você e todo este povo preparem-se para atravessar o rio Jordão e entrar na terra que eu estou para dar aos israelitas. Como prometi a Moisés, todo lugar onde puserem os pés eu darei a vocês. Seu território se estenderá do deserto ao Líbano, e do grande rio, o Eufrates, toda a terra dos hititas, até o mar Grande, no oeste. Ninguém conseguirá resistir a você todos os dias da sua vida. Assim como estive com Moisés, estarei com você; nunca o deixarei, nunca o abandonarei. Seja forte e corajoso [...]. Não fui eu que lhe ordenei? Seja forte e corajoso! Não se apavore, nem desanime, pois o Senhor, o seu Deus, estará com você por onde você andar.
>
> Josué 1.2-6,9

Veja a importância de associar a persistência à coragem. Os medrosos nunca serão restauradores. Não deixe que o medo o paralise, pois Deus quer usar a sua vida, e, por mais que ataques venham contra você, lembre-se sempre de uma grande e consoladora verdade: quem está com você é o Todo-poderoso. Era o que Neemias queria que o povo soubesse, para persistir com coragem e não parar no meio do caminho.

PARA REFLEXÃO

Faça uma análise das suas reações e do seu comportamento quando as dificuldades se apresentam e atrapalham seus planos em processos de restauração. Como você reage? Sua tendência é desistir ou persistir? O que você percebe que precisa mudar com relação a isso?

_____

_____

_____

_____

_____

_____

_____

PRINCÍPIO DO TRABALHO DURO

Deus não fará a nossa parte

16

Fé sem ação é ilusão. Por isso, é muito importante compreendermos a importância do trabalho duro, que faz que aquilo que cremos e desejamos saia do campo da teoria para o da prática. O relato de Neemias mostra que, apesar de terem demonstrado certo medo, os israelitas persistiram em sua tarefa e continuaram se dedicando à reconstrução do muro de Jerusalém. Veja o que diz o texto:

> Daquele dia em diante, enquanto a metade dos meus homens fazia o trabalho, a outra metade permanecia armada de lanças, escudos, arcos e couraças. Os oficiais davam apoio a todo o povo de Judá que estava construindo o muro. Aqueles que transportavam material faziam o trabalho com uma das mãos e com a outra seguravam uma arma, e cada um dos construtores trazia na cintura uma espada enquanto trabalhava; e comigo ficava um homem pronto para tocar a trombeta. Então eu disse aos nobres, aos oficiais e ao restante do povo: A obra é grande e extensa, e estamos separados, distantes uns dos outros, ao longo do muro. Do lugar de onde

Princípio do trabalho duro 131

ouvirem o som da trombeta, juntem-se a nós ali. Nosso Deus lutará por nós!

Neemias 4.16-20

Fica claro que a situação levou parte do povo a trabalhar e a outra a empunhar armas. Mais adiante, Neemias diz que ele, seus irmãos, seus homens de confiança e os guardas que estavam com ele nem tiravam a roupa, e cada um permanecia de arma na mão.

Quais são as armas do cristão? A Palavra, a oração e a fé. Com elas, paralisamos o mundo espiritual e nos tornamos capazes de vencer lutas inimagináveis. Essas armas nos habilitam a avançar para além do que podíamos esperar ou cogitar que seríamos capazes. No caso da situação vivida pelo povo de Judá, a guerra era contra pessoas; já a nossa, não; ela é travada contra principados e potestades que dominam este mundo tenebroso. Neemias conta que em uma mão eles tinham uma espada para guerrear e, na outra, instrumentos de trabalho. É como se, em nossos dias, você empunhasse com uma mão uma pistola e com a outra, uma colher de pedreiro. Era um duplo ofício, o de construtor e o de soldado.

Os israelitas estavam pondo em prática o Princípio do trabalho duro. Eles sabiam que Deus não faria aquilo que cabia a eles fazer — e com dedicação e empenho. Deus não vai perdoar em seu lugar. Tampouco vai pedir perdão em seu lugar. Ele não vai dar um telefonema para aquela pessoa com quem você precisa se reconciliar. Ele não moverá uma palha sequer naquilo que cabe a você fazer. Não ache que a oração sozinha vai resolver o que cabe também à ação humana.

Com uma mão você deve empunhar a espada da oração; com a outra, os instrumentos da ação. Você precisa unir essas duas coisas. Ação sem oração é decepção. Oração sem ação é ilusão. E o Senhor quer equilibrar isso na vida dos seus filhos.

Em 2014, nós comemoramos os dez anos do Projeto Cidade Viva. É impossível não olharmos para trás e ver a mão de Deus nos guiando e nos fortalecendo em tantos momentos difíceis. Por outro lado, concluímos que não foram anos de acomodação e preguiça à espera da provisão de Deus, mas anos de muito planejamento, sofrimento, dor, esforço e trabalho. Se não fosse o amor de Cristo por nós, não teríamos chegado aonde chegamos, mas tudo o que ele fez exigiu de nós responsável colaboração, em que fé, oração e trabalho andam de mãos dadas.

Muitos dos que nos visitam hoje e veem a grandeza do que foi realizado em apenas dez anos não conseguem enxergar nas entrelinhas da nossa história quanto trabalho foi necessário para que Deus nos presenteasse com as suas grandes bênçãos. Afinal, não basta apenas crer que Deus nos dará a "terra prometida", há todo um deserto a ser percorrido. Oração e ação são as duas asas do mesmo avião que nos levará à restauração. Lembre-se sempre disso!

Princípio do trabalho duro **133**

PARA REFLEXÃO

Você tem feito tudo o que poderia para reconstruir o que está em ruínas? Ou será que tem ficado apático? Analise como têm sido as suas atitudes no que se refere aos processos de restauração e, se perceber que tem agido com menos vigor do que o ideal, escreva no espaço a seguir o que pretende fazer para dedicar-se com mais afinco ao trabalho de reconstrução.

_____

_____

_____

_____

_____

_____

_____

PRINCÍPIO DA COMUNHÃO

Usufruindo da força da vida comunitária

Neemias percebe que o povo está muito separado, cada um cuidando dos seus próprios interesses. Por isso, ele vê a necessidade de aproximar as pessoas, de reuni-las em comunhão, para que, juntas, sejam mais fortes. "Então eu disse aos nobres, aos oficiais e ao restante do povo: A obra é grande e extensa, e estamos separados, distantes uns dos outros, ao longo do muro. Do lugar de onde ouvirem o som da trombeta, juntem-se a nós ali. Nosso Deus lutará por nós!" (Ne 4.19-20). Você precisa de gente, de amigos espirituais, para lhe dar suporte. É importante que você participe de grupos pequenos, sirva em algum ministério ou faça algo que o insira no Corpo e o torne um membro envolvido no todo.

É preciso aprender a dádiva de conviver com outras pessoas imperfeitas. E é na comunhão do Corpo que Deus opera grandes milagres. "Assim como cada um de nós tem um corpo com muitos membros e esses membros não exercem todos a mesma função, assim também em Cristo nós, que somos muitos, formamos um corpo, e cada membro está ligado a todos os outros" (Rm 12.4-5). Os israelitas viram a necessidade de construir o muro juntos e em proximidade, para que o trabalho fosse realizado com mais eficiência e solidez. Neemias percebeu que estavam todos muito distantes uns dos outros. Como eles estavam separados por famílias, os inimigos vinham sobre uma delas e facilmente a destruíam. Era preciso viver em unidade, em comunhão, um zelando pelo outro.

Antes de ser glorificado, Jesus disse: "Pois onde se reunirem dois ou três em meu nome, ali eu estou no meio deles" (Mt 18.20). É claro que o Senhor está com cada um de nós quando estamos sozinhos, porque o Espírito Santo habita em nós. Mas há um mistério que talvez nunca consigamos desvendar nesta vida, que se refere à operação do poder divino de forma especial quando carregamos as cargas uns dos outros. O Senhor escolheu que fosse deste modo: onde dois ou três estiverem reunidos em seu nome, isto é, onde houver comunhão em torno do Espírito Santo, ali Deus vai operar a bênção de modo especial.

O Senhor nos fez necessitados uns dos outros. Não tente viver sua vida cristã de maneira autônoma. Não tente achar que você consegue resolver tudo. Isso faz que você se feche, tranque o seu coração e não o abra para outras pessoas. Jesus andava com doze homens que ele escolheu para ser seus amigos. Desses, os mais próximos de Jesus — Pedro, Tiago e João — viveram extremos da vida humana ao lado de Cristo. Eles presenciaram o ápice da glória, quando Jesus se transfigurou, e viram o ápice do sofrimento, quando Jesus sangrou pelos poros de tanta pressão emocional que havia sobre ele. Jesus, o nosso exemplo, não tentou caminhar só; logo, por que nós deveríamos? A comunhão é indispensável.

Ora, assim como o corpo é uma unidade, embora tenha muitos membros, e todos os membros, mesmo sendo muitos, formam um só corpo, assim também com respeito a Cristo. Pois em um só corpo todos nós fomos batizados em um único Espírito: quer judeus, quer gregos, quer escravos, quer livres. E a todos nós foi dado beber de um único Espírito. O corpo não é feito de um só membro, mas de muitos. Se o pé disser: "Porque não sou mão, não pertenço ao corpo", nem por isso deixa de fazer parte do corpo. E se o ouvido disser: "Porque não sou olho, não pertenço ao corpo", nem por isso deixa de fazer parte do corpo. Se todo o corpo fosse olho, onde estaria a audição? Se todo o corpo fosse ouvido, onde estaria o olfato? De fato, Deus dispôs cada um dos membros no corpo, segundo a sua vontade. Se todos fossem um só membro, onde estaria o corpo? Assim, há muitos membros, mas um só corpo.

1Coríntios 12.12-20

Você precisa de amigos espirituais, de um grupo menor de pessoas que sejam próximas e íntimas. O culto congregacional é muito impessoal; só ele não basta em nossa vida de fé. Precisamos de irmãos que possam nos ajudar a progredir e prosseguir. E essa comunhão precisa ser vivida no Espírito Santo, porque é dessa maneira especial que Deus opera sua bênção.

Princípio da comunhão   139

PARA REFLEXÃO

Você tem vivido em comunhão com amigos que o fortaleçam espiritualmente? Se sua resposta for negativa, o que o impede de se aproximar de pessoas que contribuam na sua caminhada e o estimulem a prosseguir e progredir? Escreva no espaço a seguir o que pretende fazer para estreitar a comunhão com pessoas espirituais do seu círculo de relacionamentos.

PRINCÍPIO DO AMOR

Olhe para o outro com os olhos de Deus

18

O processo de restauração integral da cidade de Jerusalém continua, agora com os israelitas mais próximos uns dos outros. É quando surge um problema:

Ora, o povo, homens e mulheres, começou a reclamar muito de seus irmãos judeus. Alguns diziam: "Nós, nossos filhos e nossas filhas somos numerosos; precisamos de trigo para comer e continuar vivos". Outros diziam: "Tivemos que penhorar nossas terras, nossas vinhas e nossas casas para conseguir trigo para matar a fome". "E havia ainda outros que diziam: "Tivemos que tomar dinheiro emprestado para pagar o imposto cobrado sobre as nossas terras e as nossas vinhas. Apesar de sermos do mesmo sangue dos nossos compatriotas, e de nossos filhos serem tão bons quanto os deles, ainda assim temos que sujeitar os nossos filhos e as nossas filhas à escravidão. E, de fato, algumas de nossas filhas já foram entregues como escravas e não podemos fazer nada, pois as nossas terras e as nossas vinhas pertencem a outros". Quando ouvi a reclamação e essas acusações, fiquei furioso. Fiz uma avaliação de tudo e então repreendi os nobres e os oficiais, dizendo-lhes: "Vocês

Princípio do amor   143

estão cobrando juros dos seus compatriotas!" Por isso convoquei uma grande reunião contra eles e disse: Na medida do possível nós compramos de volta nossos irmãos judeus que haviam sido vendidos aos outros povos. Agora vocês estão até vendendo os seus irmãos! Assim eles terão que ser vendidos a nós de novo! Eles ficaram em silêncio, pois não tinham resposta. Por isso prossegui: O que vocês estão fazendo não está certo. Vocês devem andar no temor do nosso Deus para evitar a zombaria dos outros povos, os nossos inimigos.

Neemias 5.1-9

O que está acontecendo? Que situação é essa? O problema é o seguinte: como o povo foi levado cativo, em muitos casos as pessoas tiveram as suas terras e casas desapropriadas. Alguns dos que voltaram e que possuíam ainda propriedades da época anterior ao exílio babilônico, viram que não tinham mantimentos e, por isso, começaram a vender suas terras por preços ínfimos, às vezes tendo de recorrer a agiotas que cobravam juros exorbitantes pelos empréstimos. Com isso, os israelitas começaram a cobrar juros tão altos que tornava-se impossível àquelas pessoas crescer e caminhar com as próprias pernas em termos de subsistência.

Não conheço ninguém que tenha parado na mão de um agiota e que não tenha sofrido. No caso do povo de Judá, não foi diferente, pois vemos que eles estavam enfrentando grande sofrimento por causa desse problema. E a questão não eram apenas os juros elevados: os judeus um pouco mais ricos emprestavam o dinheiro e, quando seu compatriota que havia contraído o empréstimo não conseguia pagar, o agiota simplesmente tomava propriedades dele para si. Com isso, os mais pobres ficavam ainda mais carentes de recursos e precisavam pegar mais dinheiro emprestado simplesmente para

144 Gloriosas ruínas

comprar comida. E essa situação perdurava até que se acabavam totalmente os recursos financeiros. Para não morrerem de fome, o que os israelitas mais humildes estavam fazendo era se oferecer como escravos. E, quando não entregavam a si mesmos, davam um dos seus filhos como escravo. Que quadro desumano! Quanto desamor!

A iniquidade humana consegue ser muito presente na História. Porque, em nossos dias, vivemos situações bastante parecidas, porém com outros personagens e outros cenários. Essa iniquidade tem se apresentado em diferentes áreas da vida. Atualmente ouvimos falar em crise nos mais variados âmbitos: no setor aéreo, nas famílias, na economia, nas finanças e em tantos outros segmentos da sociedade e da vida privada. Empresas estão quebrando em grande quantidade; profissionais qualificados, demitidos aos milhares. Por conta de meu trabalho, tenho uma função que, às vezes, é muito dolorida, por ter de analisar, por exemplo, o débito de uma empresa falida. É triste.

Esse fenômeno é curioso, pois nos leva a refletir: já reparou que não se ouve falar em crise de bancos no Brasil? Não há banqueiros pobres. Os cartões de crédito, por sua vez, são agiotas legalizados, pois, se você deixa de pagar uma fatura, há uma cobrança elevada ao mês sobre o montante devido. Isso é impossível para qualquer pessoa. Nós vivemos esse tempo de iniquidade real. Sabemos de casos de pais em regiões de extrema carência socioeconômica que venderam suas filhas virgens de 10 ou 11 anos por cem reais, a fim de comprar alimentos. Esse é o cenário.

O fato é que Neemias vê um desamor muito grande. E de que adianta reconstruir uma muralha se os nossos relacionamentos interpessoais vão de mal a pior? O muro de Jerusalém era muito importante para a manutenção da vida cotidiana daquela sociedade, mas qual é a vantagem de viver protegido contra ataques externos se o povo se digladia, se autoconsome, destrói um ao outro? Não faz nenhum sentido. Por isso, para dar sentido à vida em comunhão, é preciso pôr em prática o Princípio do amor, que Neemias quis estabelecer em Jerusalém. Esse princípio fala sobre amar o próximo, ter empatia pela dor do outro, abrir mão de si pelas outras pessoas e ajudá-las em suas necessidades. Em resumo, o Princípio do amor nos leva a compreender que o outro é tão importante como você.

A situação estava feia na cidade santa. Podemos imaginar em que estado desumano se encontra um grupo social em que um deles chega a dizer: Apesar de sermos do mesmo sangue dos nossos compatriotas, e de nossos filhos serem tão bons quanto os deles, ainda assim temos que sujeitar os nossos filhos e as nossas filhas à escravidão. Isso é lastimável. É desumano e denuncia total falta de amor. Essa afirmação deixa muito claro que o que estava sendo discutido ali era a questão da dignidade humana, algo que precisa ser visto de maneira muito ampla.

Jesus pregou uma mensagem de amor como expressão de algo que devemos fazer para nos colocarmos no lugar do outro e sentir o que o outro sente. O cristianismo pressupõe, logo, uma relação com Deus que nos faz sair do nosso mundo e penetrar na realidade da vida das pessoas, olhando para elas do jeito que Deus as olha: com todo o amor e com toda a compaixão. Você não vai conseguir restaurar relacionamentos na sua vida, por exemplo, sem que impere o Princípio do amor. Pois, se isso não ocorrer, tudo não passará de uma negociação de interesses. Você nunca vai reatar verdadeiramente laços se não aprender de fato o que significa amar. Amar é olhar para o outro e sofrer pelas dores dele. Jesus nos amou demais, a ponto de criar uma regra de ouro, que é ativa, proativa e intencional: *faça ao outro aquilo que você deseja que o outro faça por você.*

Algum tempo atrás fui com meus filhos a Recife deixar minha esposa no aeroporto. Passamos por um bairro humilde e vimos casebres muito pobres, em morros praticamente sem vegetação. Para proteger sua moradia de quedas na eventualidade de chuvas fortes, os moradores cobriram a terra com lonas pretas, a fim de evitar que houvesse infiltração de água na barreira e consequentes deslizamentos. Fiquei pensando em como eu me sentiria se vivesse naquela situação. Por alguns momentos, conversamos em família sobre essa realidade e nos compadecemos demais daquela gente. Isso é raro, pois parece que a vida nos tirou a capacidade de sentir empatia e compaixão pelos outros e, com isso, mesmo em processos de restauração, queremos impor a nossa vontade. Assim, em vez de nossos relacionamentos serem libertadores, eles passam a ser aprisionadores. O outro passa a estar aprisionado de tal maneira por seus caprichos que o processo que ocorre não é de fato uma restauração; é simplesmente uma imposição de vontade, junto com a resignada opção de se submeter aos caprichos do outro para poder viver em paz. Mas, na realidade, não há liberdade, não há restauração. O que há é aprisionamento.

O projeto de restauração não é fácil; não é uma cartilha de princípios água com açúcar que podemos aplicar em nossa vida. O Princípio do amor nos mostra que devemos, sim, exercer generosidade, ter a capacidade de nos compadecer do outro e buscar a restauração dele a partir da percepção de que o amor é a capacidade de transcender a nossa individualidade e nos envolver com as ruínas do próximo, a fim de resgatá-lo e tirá-lo dali.

O Princípio do amor nos assemelha a Jesus. Se aprendermos a amar como Jesus amou, alcançaremos níveis diferentes em nossa vida. Mudanças profundas em uma sociedade não começam por transformações na esfera político-partidária, mas no âmbito do coração. Como comunidade que segue os princípios de Cristo, temos de ser luz e bênção na vida das pessoas. Mas, sem o princípio do amor leal, comprometido e incondicional, jamais conseguiremos promover uma restauração que gere felicidade. Pois o amor é o que nos conduz, mais do que qualquer outra coisa, a uma vida plena de satisfação e contentamento.

PARA REFLEXÃO

Faça uma análise de si mesmo e verifique se você tem amado o próximo como Jesus ensinou que deveria. Se perceber que tem tido atitudes egoístas ou de desamor, escreva no espaço a seguir o que você identifica que deveria mudar, em termos práticos, para vivenciar o Princípio do amor.

PRINCÍPIO DA RENÚNCIA

Aprendendo a abrir mão para restaurar

19

Neemias deixou a Pérsia, foi a Jerusalém e se tornou o governador de toda a região de Judá. Isso poderia ter lhe rendido muito privilégios e benesses, mas é bastante interessante observarmos que ele abriu mão de muito do que o cargo lhe permitiria ter. O ex-copeiro do rei Artaxerxes governou aquela terra do 20º ao 32º ano do reinado do imperador persa; logo, ele ocupou a posição por um período de doze anos. Esse espaço de tempo equivaleria a três legislaturas no nosso sistema de governo atual, republicano. Lá, porém, estava em vigor a monarquia e, portanto, o governador era escolhido pelo monarca e ponto final. Apesar de permanecer por mais de uma década no cargo, Neemias relata: "... nem eu nem meus irmãos comemos a comida destinada ao governador" (Ne 5.14). Havia uma alimentação específica para os governadores das províncias do império; no entanto, Neemias renunciou a ela.

Mas os governantes anteriores, aqueles que me precederam, puseram um peso sobre o povo e tomavam dele quatrocentos e oitenta gramas de prata, além de comida e vinho. Até os seus auxiliares oprimiam o povo. Mas, por temer a Deus, não agi dessa maneira. Ao contrário, eu mesmo me dediquei ao trabalho neste muro. Todos os meus homens de confiança foram reunidos ali para o trabalho; e não compramos nenhum pedaço de terra.

Neemias 5.15-16

Judá estava em ruínas. O que acontece com terrenos e propriedades quando um território está nessas condições é que o preço dos imóveis e dos terrenos despenca. Como copeiro do imperador, Neemias era uma pessoa de posses, que teria condições de comprar muita coisa naquela terra devastada por valores irrisórios, para revender depois por um preço muito mais elevado — é a chamada especulação imobiliária. Apesar disso, ele não se aproveitou da miséria do seu povo para sair comprando a preço de banana terrenos e casas de pessoas que estavam com a faca no pescoço e que venderiam seus bens por qualquer valor, por qualquer saca de trigo ou outro mantimento. A prioridade naquela região, para quem estava vivendo os efeitos da crise, era alimentar a família, e não acumular bens. Mas Neemias abriu mão de se aproveitar disso.

Perceba algo interessante: não seria ilegal comprar os imóveis e terrenos, mesmo por um preço baixo. Seria legal. Porém, não seria moralmente correto. Era um direito de Neemias adquirir aquelas terras, pois não há ilegalidade alguma em comprar algo de quem está financeiramente quebrando. Mas o governador olhou para a situação e se recusou a prejudicar seus compatriotas, mesmo tendo condições de fazê-lo. Além disso, ele diz algo muito interessante:

Além do mais, cento e cinquenta homens, entre judeus do povo e seus oficiais, comiam à minha mesa, como também pessoas

152   Gloriosas ruínas

das nações vizinhas que vinham visitar-nos. Todos os dias eram preparados, à minha custa, um boi, seis das melhores ovelhas e aves, e a cada dez dias eu recebia uma grande remessa de vinhos de todo tipo. Apesar de tudo isso, jamais exigi a comida destinada ao governador, pois eram demasiadas as exigências que pesavam sobre o povo. Lembra-te de mim, ó meu Deus, levando em conta tudo o que fiz por este povo.

Neemias 5.17-19

Imagine se tivéssemos no Brasil governantes como Neemias, se o Brasil fosse repleto de prefeitos, governadores, deputados, senadores, vereadores e outros servidores públicos que tivessem a mesma mentalidade de que política não é meio de vida. Política é, na essência da palavra, abrir mão dos seus interesses pessoais para cuidar dos interesses da *polis*, da cidade, dos outros. Mas o que ocorre em nosso país não é isso; no Brasil parece que todo mundo acredita que tem direito a tudo — não se fala em deveres humanos; só em direitos humanos. Eu nunca vi uma tese sobre deveres humanos. Qual é o seu dever como ser humano? Quais são os seus deveres e não só os seus direitos?

Neemias dá aqui uma lição de moral e ética a todos nós. O que as atitudes dele demonstram é que ele não ocupou o cargo para buscar os seus interesses, para ganhar algo em troca. Ele renunciou aos seus direitos como governador para diminuir, ainda que um pouco, as cargas que pesavam sobre o próprio povo. Seria extraordinário se isso fosse real em nossos dias! Vivemos, lamentavelmente, em uma república enferma, pois existe hoje um enorme desequilíbrio no Brasil. A república está doente. E, no que se refere aos privilégios de alguns, funcionamos quase como uma monarquia: não temos rei, mas temos os "filhos do rei", com sua toga e seus mandatos. E a impressão que passa é que a maioria dos homens e das mulheres que ocupam cargos político-partidários está à procura não do bem comum, mas de interesses, direitos, prerrogativas e benefícios pessoais e oligárquicos.

Neemias não; ele quer restaurar o povo. Com esse objetivo, o que ele faz? Contribui para a redução dos gastos públicos. Essa é uma lição muito importante e de aplicação contemporânea para os governantes: que tal se nós começássemos a pensar também no outro e renunciássemos um pouco aos nossos direitos? Buscar seus direitos é ser justo; renunciar a alguns deles em nome do amor, da comunhão e da restauração é ser cristão. Você prefere ser justo ou ser cristão, se tiver de escolher? Por critérios de tradição e legalidade, Neemias tinha direito a muitos benefícios, mas ele entendeu que eram, pelo menos, circunstancialmente imorais.

Como será possível restaurar o que for se não temos em mente a consciência de que precisamos exercitar o Princípio da renúncia? Deus quer que exercitemos esse princípio. São muitas as famílias destruídas em nossos dias por causa de repartição de heranças; muitas as amizades destruídas em razão de interesses mesquinhos; muitas as mães que impedem os filhos de ver os pais depois de um divórcio; e por aí seguem situações tristes como essas, indefinidamente. Você tem muitos direitos dos quais poderia abrir mão por amor ao outro e pela restauração. Será que você faz isso, assim como Neemias?

Eu estou longe de ser Neemias, mas luto a cada dia para me parecer mais e mais com Jesus, que é o meu padrão de renúncia. Jesus exercitou o Princípio da renúncia para produzir a restauração da nossa relação com Deus. Não vejo nenhum problema, por exemplo, em igrejas cuidarem de seus líderes, em que banquem a sua comida, a sua casa; isso é muito

154 Gloriosas ruínas

digno. Mas, por outro lado, um dos ambientes onde mais se exercita o privilégio de castas é na igreja, lamentavelmente.

Pode ser que você pense que o que estou tratando neste capítulo seja algo antiquado, restrito à época do Antigo Testamento, coisa do tempo de Neemias. Talvez você creia que estou relatando apenas uma história e não um princípio bíblico. Mas o Princípio da renúncia é atemporal e precisa estar em nosso coração, nascer dentro de nós e permanecer ali todo o tempo — de manhã, de tarde e à noite. Veja o exemplo maior disso, que é o de Jesus. Ele é o Rei dos reis, o Deus vivo que habita em nós, o Criador. Pois o Filho, o Senhor da vida, resolve encarnar e viver no nosso meio para trazer restauração entre nós e Deus Pai, por meio da cruz. Deus ama tanto a humanidade pecadora que envia o seu Filho ao mundo, que vai à cruz por graça e amor em favor de nós. E o que isso exigiu do Todo-poderoso? "... Jesus, que, embora sendo Deus, não considerou que o ser igual a Deus era algo a que devia apegar-se; mas esvaziou-se a si mesmo, vindo a ser servo, tornando-se semelhante aos homens" (Fp 2.5-7).

Esse texto, do Novo Testamento, não se refere a um governador, um amigo, um grande homem; mas ao Todo-poderoso. Ao Criador das realidades visíveis e invisíveis. Ao próprio Deus, aquele que é o Senhor da justiça e do direito, que tem todos os privilégios por ser a divindade santa, por ser puro e irretorquível. O Deus da vida é apresentado por Paulo como alguém que renunciou à sua posição de realeza e majestade para tomar a forma de um simples servo e morrer como um criminoso. Isso mostra que, sendo Cristo o exemplo, esse é o modelo para toda a sociedade que deseja ser grande e crescer sem as falsas promessas do capitalismo nem as utopias do comunismo. Essa é a palavra do Senhor para nós, em que o próprio Deus renuncia à vida dele e aos seus privilégios para restaurar a nossa comunhão com o Pai.

Precisamos lutar contra nosso ego. Analise a si mesmo e veja se não está faltando em sua vida um pouco de renúncia, para que consiga promover a restauração das ruínas que precisa reconstruir.

PARA REFLEXÃO

Avalie as suas atitudes e identifique se você tem praticado a renúncia com frequência em sua vida, caso isso seja em benefício do próximo. Se perceber que não tem renunciado tanto quanto poderia e que suas posturas muitas vezes são centradas excessivamente em si mesmo, escreva no espaço a seguir o que pode fazer para mudar.

_____

_____

_____

_____

_____

_____

_____

PRINCÍPIO DA SOBERANIA DIVINA

Confiando no Senhor do sim e do não

20

Neemias prossegue no trabalho de reconstrução dos muros de Jerusalém seguindo todos os princípios que já listamos. Até que, finalmente, "O muro ficou pronto no vigésimo quinto dia de elul, em cinquenta e dois dias" (Ne 6.15). Ao lermos essa informação, podemos fazer uma reflexão interessante. Quantos dias Jesus levou para ressuscitar? Três. Quantos anos durou o cativeiro de Israel no Egito? Quatrocentos. Quanto tempo durou a travessia do deserto? Quarenta anos. Em quanto tempo o Senhor intervirá para promover a sua restauração? Não sei. O Princípio da soberania de Deus sobre o tempo, sobre as estações e sobre a nossa vida estabelece que cabe ao Todo-poderoso determinar qual será a duração do processo de reconstrução das ruínas a que você está se dedicando. Pois Deus não se submete ao nosso calendário.

Nossa vida com o Senhor não é uma agenda eletrônica, com datas predeterminadas para que ocorram eventos que desejamos segundo a nossa vontade. No reino dos céus, as coisas não funcionam ao bel-prazer dos homens, que marcam um encontro com Deus conforme quiserem. Vemos em nossos dias muita gente equivocada, fazendo campanhas mirabolantes, dizendo que em tal dia Deus fará milagres, que em tal ocasião o Senhor se manifestará de modo extravagante e derramará bênçãos sem medida na vida de quem realizar tal e tal ação ou doação. Estão criando um "deus robô" que faz o que nós queremos. O problema é que esse não é o Deus da Bíblia.

O Senhor é dono de todas as coisas — do tempo, da minha e da sua vida, da História. Ele sabe o que fazer conosco na hora em que for melhor, do jeito que desejar, para o cumprimento do propósito que ele estabeleceu em seu coração. Nem sempre nós entendemos as coisas. Mas o Princípio da soberania divina nos assegura que o Todo-poderoso é Senhor sobre o tempo e a história da humanidade.

Eu não tenho de impor minha agenda a Deus, pois ele sabe o que é bom, o que é melhor. Muitas vezes, eu tenho um plano específico e ele tem outro. E Deus não pede licença para rasgar os nossos planos. Não sabemos quanto tempo vai durar cada processo; temos de nos conformar em saber que não sabemos de nada. Deus é o Senhor soberano do tempo. E, em sua soberania, ele estabeleceu:

> Para tudo há uma ocasião certa; há um tempo certo para cada propósito debaixo do céu: Tempo de nascer e tempo de morrer, tempo de plantar e tempo de arrancar o que se plantou, tempo de matar e tempo de curar, tempo de derrubar e tempo de construir, tempo de chorar e tempo de rir, tempo de prantear e tempo de dançar, tempo de espalhar pedras e tempo de ajuntá-las, tempo de abraçar e tempo de se conter, tempo de procurar e tempo de desistir, tempo de guardar e tempo de jogar fora, tempo de rasgar e tempo de costurar, tempo de

calar e tempo de falar, tempo de amar e tempo de odiar, tempo de lutar e tempo de viver em paz.

Eclesiastes 3.1-8

Em meio a tudo isso, precisamos guardar uma certeza em nosso coração: sobre todas essas coisas, o nosso Deus reina. Quão difícil é encarar essa verdade, especialmente quando a ansiedade toma conta de nós. Entretanto, se cremos na existência de um Rei que ama o seu povo, de um Pai eterno que tem o melhor para os seus filhos, somos convidados a descansar na soberania dele e a nos alegrar no fato de que Deus tem cuidado de nós.

Nos momentos mais difíceis da minha vida, quando faltaram explicações sobre a razão das minhas dores e quando todo o meu esforço para restaurar ruínas não tinha sido suficiente, fui convidado pelo Espírito Santo a confiar nele e a descansar em sua boa, perfeita e agradável vontade (Rm 12.2). Assim, muitas vezes me sinto como um passageiro de um trem imaginário, que me leva para uma estação que não consta nos meus mapas. Nessas horas, preciso ter em mente que o maquinista celestial nunca falhará, pois, como disse o apóstolo Paulo: "Sabemos que Deus age em todas as coisas para o bem daqueles que o amam, dos que foram chamados de acordo com o seu propósito" (Rm 8.28).

Por tudo isso, temos muitas razões para não temer, pois o Soberano nunca perde o controle do cosmo.

PARA REFLEXÃO

Você costuma deixar que a vontade de Deus prevaleça sobre a sua? Ou a sua postura muitas vezes demonstra rebeldia contra os caminhos que o Senhor aponta? Se você deseja seguir a boa, agradável e perfeita vontade de Deus, escreva no espaço abaixo o que pretende fazer, de modo prático, para deixar a soberania divina prevalecer em sua vida.

_____

_____

_____

_____

_____

_____

_____

PRINCÍPIO DA CELEBRAÇÃO

Valorizando as pequenas conquistas

21

Finalmente, Neemias e o povo de Judá terminam a restauração das ruínas do muro de Jerusalém. E, quando o trabalho de reconstrução é concluído, chega a hora de celebrar. É quando Neemias pede ao povo para subir em cima do muro, para comemorar e cantar louvores a Deus. "E naquele dia, contentes como estavam, ofereceram grandes sacrifícios, pois Deus os enchera de grande alegria. As mulheres e as crianças também se alegraram, e os sons da alegria de Jerusalém podiam ser ouvidos de longe" (Ne 12.43). As pessoas que estavam a distância conseguiam escutar o que aquele povo dizia a Deus em sinal de gratidão. Assim como os israelitas, precisamos exercitar o Princípio da celebração. Devemos celebrar as pequenas conquistas, as mínimas vitórias nos nossos processos de restauração.

Infelizmente, nós deixamos, em grande parte, de ser um povo que celebra e passamos a ser um povo que murmura. Deixamos de ser um povo que agradece e nos tornamos um povo que está sempre se sentindo incompleto. Em Jerusalém e no restante de Judá, ainda muitas mudanças estavam por acontecer, muita restauração ainda se fazia necessária, mas o muro tinha sido reconstruído. E Deus foi glorificado pelos lábios daquele povo por essa razão. O coral subiu no muro e começou a cantar louvores ao Senhor.

Celebre a vida. Celebre o que Deus lhe deu. Celebre a presença dele em sua vida. Não pare de celebrar; pelo contrário, exercite sempre o Princípio da celebração. Saiba comemorar as pequenas restaurações, as pequenas conquistas em sua vida. Não seja um murmurador; vá em frente. "Cantem de alegria ao Senhor, vocês que são justos; aos que são retos fica bem louvá-lo. Louvem o Senhor com harpa; ofereçam-lhe música com lira de dez cordas. Cantem-lhe uma nova canção; toquem com habilidade ao aclamá-lo. Pois a palavra do Senhor é verdadeira; ele é fiel em tudo o que faz" (Sl 33.1-4); "Batam palmas, vocês, todos os povos; aclamem a Deus com cantos de alegria. Pois o Senhor Altíssimo é temível, é o grande Rei sobre toda a terra!" (Sl 47.1-2); "Aclamem o Senhor todos os habitantes da terra! Louvem-no com cânticos de alegria e ao som de música! Ofereçam música ao Senhor com a harpa, com a harpa e ao som de canções, com cornetas e ao som da trombeta; exultem diante do Senhor, o Rei!" (Sl 98.4-6); "Aclamem o Senhor todos os habitantes da terra! Prestem culto ao Senhor com alegria; entrem na sua presença com cânticos alegres. Reconheçam que o Senhor é o nosso Deus" (Sl 100.1-3).

Aleluia! Louvem a Deus no seu santuário, louvem-no em seu magnífico firmamento. Louvem-no pelos seus feitos poderosos, louvem-no segundo a imensidão de sua grandeza! Louvem-no ao som de trombeta, louvem-no com a lira e a harpa, louvem--no com tamborins e danças, louvem-no com instrumentos de cordas e com flautas, louvem-no com címbalos sonoros, louvem-no com címbalos ressonantes. Tudo o que tem vida louve o Senhor! Aleluia!

Salmos 150.1-6

A celebração da Igreja deve ser verdadeiramente o som mais alto do cosmo, porque nós fomos redimidos pelo Senhor do Universo. Por si só, isso já deve ser motivo de louvores incessantes e intermináveis. O sangue de Jesus foi derramado por nós, pobres pecadores. Deus nos enche de alegria que vem do céu, e devemos cantar e comemorar, porque é o Deus da vida que está conosco. Celebremos, porque ele é o nosso Deus!

Para os que lutam pela restauração de ruínas, há sempre razão para celebrar os pequenos avanços e as pequenas conquistas, antes que tudo esteja no seu devido lugar. Por isso, diga sempre: "Ainda não sou quem desejo ser, mas já não sou mais quem um dia fui. Por isso, celebro o hoje real antes que chegue o amanhã ideal. Não construí a casa inteira, mas já estabeleci suas fundações. Não restaurei ainda uma grande amizade que se deteriorou, mas não somos mais os inimigos que um dia passamos a ser". Essa é uma razão excelente para celebrar! Celebre a cada dia, a cada passo, a cada pequena etapa da restauração. Encha o coração de gratidão, para que Deus seja glorificado em sua vida e para que o mundo ouça que, em Cristo, temos razões para cultivar a esperança de um novo tempo, um novo céu e uma nova terra, onde a justiça prevalecerá.

Que a paz, a graça e o amor do Grande Restaurador sejam abundantes em sua vida! Levante-se e ande, pois é tempo de restauração!

Princípio da celebração 167

PARA REFLEXÃO

Quais são as restaurações que você precisa promover em sua vida pessoal, relacional ou social? Escreva no espaço abaixo como pretende celebrar suas próximas realizações à medida que concluir cada etapa do processo de reconstrução que estiver planejando.

CONCLUSÃO

Em maio de 2015, eu e minha esposa, Samara, celebramos 25 de anos de namoro, dos quais 19 casados. E para comemorar, fizemos uma viagem à Europa. Escolhemos conhecer, entre outros lugares, a chamada Rota Romântica da Alemanha, composta por dezenas de pequenas cidades históricas e paisagens de beleza estonteante. Começando em Wurzburg, percorremos toda a rota, até o castelo de Neuschwanstein, construído no século 19 — que, de tão belo, serviu de inspiração para Walt Disney em seu projeto de construção do castelo da Cinderela na Disney World. Não há palavras para expressar a beleza daquela região, especialmente ao compararmos com as cenas que veríamos dias depois.

Terminamos aquela parte da viagem e seguimos para Munique, com um guia turístico na mão e uma série de lugares para visitar. Também busquei na Internet o que poderia ser considerado imperdível naquela região e, para minha surpresa, encontrei algumas indicações sobre um campo de concentração em Dachau, cidadezinha próxima, que testemunhou

170   Gloriosas ruínas

um dos mais terríveis momentos da história da humanidade: os terrores do nazismo, sob a liderança de Adolf Hitler. Que programa inusitado para uma viagem romântica!

Assim, acompanhados por um casal de amigos, alugamos um carro, percorremos os poucos quilômetros entre Munique e Dachau e fomos direto ao lugar onde funcionara o campo de concentração e que, hoje, abriga um imenso memorial, onde todos podem conhecer detalhes do lugar e tomar ciência das condições de vida dos milhares de pessoas que foram exterminadas ali.

Embora o campo de concentração de Auschwitz seja o mais conhecido, Dachau foi o primeiro a ser construído no regime nazista, e iniciou as suas atividades em 1933, com base nas ideias de Heinrich Himmler, um dos comandantes de Hitler e um de seus homens de confiança. Desse modo, Dachau acabou servindo de modelo para a construção de dezenas de outros campos de concentração naquele período sombrio da história humana. A princípio, funcionou como campo de trabalhos forçados para os prisioneiros políticos contrários ao regime. A partir de 1935, Dachau também passou a receber homossexuais e testemunhas de Jeová, mas foi em 1938 que os judeus começaram a ser deportados aos milhares para esse campo de concentração.

A visita àquele lugar provocou em nós uma série de sentimentos. Primeiro, o espanto com relação à capacidade humana de infligir danos aos seus próprios semelhantes. Depois, a tristeza profunda ao vermos, por meio de fotos e gravações em áudio e vídeo, o nível de sofrimento a que foram submetidos milhões de pessoas. Estima-se que duzentos mil indivíduos, de várias nacionalidades, foram aprisionados em Dachau e pelo menos trinta mil morreram naquele campo. Enquanto passávamos pelos vários setores das instalações, percebíamos uma movimentação muito intensa de repórteres e redes internacionais de televisão, que pareciam estar cobrindo algum evento naquele lugar. Foi quando descobrimos que aquela semana tinha sido dedicada à comemoração dos setenta anos da libertação do campo de Dachau pelo exército americano, ocorrida em 29 de abril de 1945.

Como parte daquela semana comemorativa, foram levados a Dachau militares americanos que participaram da libertação dos prisioneiros, como membros da 42ª Divisão de Infantaria, apelidada de Rainbow Division (Divisão do Arco-Íris). Foi muito emocionante poder conversar com um dos soldados que participaram do processo de libertação. Em cerca de dez minutos, fiz o máximo de perguntas sobre como se deu a conquista, qual era a situação dos prisioneiros e qual tinha sido o comportamento dos moradores de Dachau.

Com uma voz cansada, em razão dos seus mais de 90 anos, mas com os olhos brilhando de orgulho e vívida alegria, aquele velho soldado nos contou que se surpreendeu com a quantidade de prisioneiros doentes e desnutridos que encontrou ali, além das centenas de corpos empilhados à espera de sepultamento. Como quem viveu aquelas cenas de maneira tão marcante, ele nos contou que a primeira ação dos soldados foi dar toda a comida que tinham para os prisioneiros saciarem a fome. Muitos, inclusive, vieram a morrer depois, pois os seus corpos desnutridos não foram capazes de metabolizar tanta comida ingerida em um espaço de tempo tão curto, após semanas passando fome. Entretanto, uma das mais significativas ações promovidas pelos militares da Divisão do Arco-Íris foi obrigar todos os habitantes da cidade, que pareciam viver como se nada estivesse acontecendo ao redor, a entrar no campo de concentração, para que vissem com os próprios olhos os horrores que aconteceram

172 Gloriosas ruínas

em Dachau, enquanto se mantiveram inertes e omissos por tanto tempo.

A decisão de escrever esse relato apenas na conclusão deste livro tem alguns motivos. Mais uma vez na História, o povo judeu foi submetido ao sofrimento e à destruição e, do mesmo modo que foram libertados por Ciro, imperador persa, no século 6 a.C., e autorizados a voltar a Jerusalém, a derrota do nazismo funcionou como ponto de partida para o reconhecimento do Estado de Israel pela ONU, em 1948. A partir de então, judeus dispersos pelos quatro cantos do planeta receberam o direito de voltar para a terra que Deus lhes deu.

Em tudo isso, somos exortados pela História a não contribuir para a implantação da desgraça humana. Pelo contrário, Deus nos convida a perceber as ruínas que nos cercam, quer pessoais, quer relacionais, quer sociais, e a nos posicionarmos corajosamente para reconstruí-las e transformá-las. Começando com o Princípio da realidade, somos convidados pelo Grande Restaurador a entrar em "Dachau", e em outros "campos de concentração", onde seres humanos estão sendo coisificados, onde a alegria ficou em algum lugar no passado e onde imperam o ódio, a angústia, o desrespeito e o medo. Por isso, não façamos de conta de que nada precisa ser mudado, como se olhássemos para os muros do campo de concentração de Dachau pelo lado de fora e não conseguíssemos ouvir a voz das dores humanas, o grito do desespero de um mundo em ruínas e a aflição dos prisioneiros da vida, da vingança e do desamor.

Onde é o seu Dachau? Quais os contornos da sua dor? O que precisa ser resgatado e refeito? Saiba que nada é impossível ao que crê no Deus da vida, que enviou o seu filho ao mundo para morrer por nós, a fim de podermos "voltar para casa" e ser usados como um exército enviado aos campos de concentração da existência humana para libertar as pessoas de tudo aquilo que as impede de ser plenas.

Portanto, siga os princípios ensinados neste livro e nunca deixe de crer que o Senhor da História enxerga as ruínas da humanidade como gloriosas oportunidades de demonstrar seu poder, sua graça e seu amor.

Mãos à obra!

SOBRE O AUTOR

Sérgio Queiroz é procurador da Fazenda Nacional. Graduado em engenharia civil e de segurança, direito e liderança avançada, é também mestre em filosofia e teologia e doutorando em ministério pastoral. É pastor da Primeira Igreja Batista do Bessamar (João Pessoa, PB), presidente e idealizador da Fundação Cidade Viva (cidadeviva.org) e professor do Instituto Haggai. Está continuamente engajado em projetos voltados à restauração integral das pessoas e da sociedade. É casado com Samara e pai de Sérgio Augusto, Esther e Débora.

Compartilhe suas impressões de leitura escrevendo para:
opiniao-do-leitor@mundocristao.com.br
Acesse nosso *site*: www.mundocristao.com.br

Equipe MC:	Maurício Zágari (editor)
	Heda Lopes
	Natália Custódio
Diagramação:	Luciana Di Iorio
Preparação:	Patrícia Almeida
Revisão:	Josemar de Souza Pinto
Gráfica:	Assahi
Fonte:	Berkeley
Papel:	Pólen Soft 70 g/m^2 (miolo)
	Cartão 250 g/m^2 (capa)